食物相克中毒图解

解		解		解		解	
地浆水	鸭蛋 / 李子	绿豆	肝脏 / 雀肉	冬瓜汁	李子 / 鲭鱼	鸡屎白	田螺 / 痢面
藕节	柿子 / 毛蟹	胡荽	蛤 / 田螺	大蒜汁	毛蟹 / 柑橘	黑豆甘草	鳗 / 牛肝
地浆水	牛肝 / 鳗	地浆水	生花生仁 / 螃蟹	鸡屎白	雀肉 / 李子	绿豆	牡蛎 / 红糖
鸡屎白	李子 / 鸡肉	地浆水	鱿鱼 / 柿子	藕节	毛蟹 / 茄子	地浆水	燃桑枝柴 / 鳝鱼
地浆水	田螺 / 玉米	蟹	红枣 / 鳝鱼	地浆水	牛乳 / 菠菜	柑橘皮	毛蟹 / 香瓜
蟹	南瓜 / 鳝鱼	绿豆	猪肉 / 田螺	橄榄汁	鳖 / 芹菜	黑豆甘草	柴鱼 / 南瓜
韭菜汁	红薯 / 石榴	地浆水	竹笋 / 羊肝	人乳和豉汁	犬肉 / 蒜头	黑豆甘草	鲫鱼 / 蜜
绿豆	牛乳 / 生鱼	地浆水	冰 / 田螺	地浆水	守宫屎 / 米饭	黑豆甘草	鳗 / 酸醋

食物胆固醇含量

类别	含量	类别	含量	类别	含量	类别	含量	类别	含量
五谷类	0	豆制品	0	蔬菜类	0	植物油	0	水果类	0
海参	0	酸奶	15	牛奶（鲜）	15	海蜇皮	16	脱脂奶粉	28
田鸡（青蛙）	40	火腿	45	火腿肠	57	牛肉（瘦）	58	兔肉	59
羊肉（瘦）	60	牛奶粉	71	小黄鱼	74	带鱼	76	酱牛肉	76
蛇肉	80	香肠	82	鲤鱼	84	酱羊肉	92	猪耳	92
猪油	93	鸭肉	94	鸽肉	99	鲢鱼	99	甲鱼	101
牛肚	104	鸡肉	106	青鱼	108	猪肉（肥）	109	花鲢	112
鸡翅	113	鲜贝	116	羊肚	124	黄鳝	126	鲫鱼	130
泥鳅	136	猪大肠	137	羊肉（肥）	148	羊大肠	150	猪心	151
猪舌	158	猪肚	165	对虾	165	蚌肉	239	河蟹	267
蟹黄（鲜）	466	鹌鹑蛋	515	鸡蛋	585	松花蛋（鸭）	602	鸭蛋	647
鸡肝	676	鹅蛋	704	鱿鱼（干）	871	鲳鱼子	1070	鸡蛋黄	1510
鸭蛋黄	1576	鹅蛋黄	1696	羊脑	2004	牛脑	2447	猪脑	2571

香菇甲鱼汤

原料 甲鱼1只，水发香菇50克，火腿片50克，冬笋片50克，精盐、葱段、姜片、鸡精、胡椒粉、料酒、鸡汤各适量。

做法 1. 将甲鱼宰杀洗净，焯至变色起皱时捞出，刮净老皮，去掉爪尖、尾巴，掏净内脏、黄油，洗净剁成小块；香菇洗净撕成大块。

2. 取碗，加入甲鱼肉、料酒、葱段、姜片、鸡汤，蒸50分钟取出，将甲鱼肉放入炖盅内，上面放好火腿片、冬笋片、香菇块、葱段、姜片、鸡精、料酒、精盐、胡椒粉，倒入过滤后的原汤，用油纸封好，蒸15分钟取出，拣出葱、姜即成。

三鲜乌鱼汤

原料 乌鱼400克，鸡肉100克，火腿80克，冬笋100克，盐10克，味精2克，胡椒2克，料酒15克，淀粉（蚕豆）20克，植物油100克。

做法 1. 将鸡肉、火腿、冬笋改片。

2. 鸡片用盐、淀粉和匀待用。

3. 将乌鱼去鳞，破腹，去内脏，去鳃，洗净切成条。

4. 将乌鱼条用淀粉薄薄扑一层，炸一下即可。

5. 鲜汤烧沸，下鸡肉、火腿、冬笋、乌鱼，熟后加入盐、味精、胡椒粉、料酒即可。

炖鸡白菜汤

原料 老母鸡500克，大白菜1000克，盐15克，料酒7克，味精3克，胡椒粉1克，姜7克，大葱7克。

做法 1. 大白菜心洗净，改刀切块；老母鸡洗净，用开水煮一下捞出冲洗干净。

2. 煮鸡原汤澄清后过细罗，去掉渣沫，放锅内烧开，将鸡下锅，放入整姜、整葱，烧开锅改微火将鸡炖烂时下入白菜，放入盐、料酒、胡椒粉、味精等，拣出姜、葱不要，码好味，装入大汤碗内即成。

排骨藕汤

原料 猪排骨500克，藕750克，姜7克，精盐、胡椒粉各5克。

1. 将猪排骨洗净，斩成4厘米长的块；藕用筷子刮洗干净，置案板上，用刀拍破，切成同排骨一样大小的块；姜洗净拍破。

2. 高压锅内加适量开水，下猪排骨、精盐、藕、姜、胡椒粉炖熟即成。

主编 潇雪

绿色营养食谱

食疗 ShiLiao

养生菜
食补药疗

世界图书出版公司
广州·上海·西安·北京

图书在版编目(CIP)数据

食疗/潇雪主编 . —广州:广东世界图书出版公司,
2004.1

ISBN 978-7-5062-5028-3

Ⅰ.食… Ⅱ.潇… Ⅲ.食物疗法—食谱
Ⅳ.TS972.161

中国版本图书馆 CIP 数据核字(2003)第 112733 号

食　　疗

出版发行:广东世界图书出版公司
　　　　　(广州市新港西路大江冲 25 号　邮编:510300)
电　　话:020—84451969　84459539
Http://www.gdst.com.cn
E—mail:pub@gdst.com.cn
经　　销:各地新华书店
印　　刷:北京市后沙峪印刷厂
版　　次:2009 年 1 月第 3 版
　　　　　2009 年 1 月第 1 次印刷
开　　本:787mm×1092mm　1/16
印　　张:15
ISBN 978-7-5062-5028-3/TS・0007
出版社注册号:粤 014
定　　价:19.80 元

前　　言

用食物治病的方法，在我们国家已经有很长的历史了，西周至春秋战国成书的《论语》就提出了"五谷为养，五果为助，五畜为益，五菜为充，气味合而服之，以补养精气"的膳食种类及配伍原则；东汉时期的本草学专著《神农本草经》中，已经有了对红枣、人参、枸杞、生姜、葱白等药食两用药物较为详细的论述。此后关于食物治病的民间验方层出不穷，各种各样的理论专著也一一问世，使"食疗"这一祛病延年的好办法越来越深入人心。

尤其是现在，随着人们物质生活的不断提高，快节奏、高强度、高效率的现代生活，使众多忙忙碌碌、精神压力过大的人们前所未有地重视起自身保健；化学药物的毒副作用，使人们"重返大自然"的返朴归真的心理越来越强烈。健康长寿成了人们梦寐以求的目标。在这种大的背景之下，食疗这一独特的中华文化宝库中的奇葩，越来越显示出她深厚的底蕴和夺目的光彩。但是一般的普通家庭，对食疗的知识了解得太少。因此，为了满足百姓的这一需求，我们编选了这本《食疗》。

本书在编选过程中，注重选取取材方便，制作简易，服用方便，安全有效的食疗方。可供读者根据自身的健康状况和病情需要，对症选方，自制自用。在裹腹充饥，获得美味可口的佳肴的同时，又不知不觉地驱逐了病魔，真是人生的一大快乐，何乐而不为呢？

Contents

5

一、气血亏虚

Contents

四、高血压

Contents

七、高血脂

八、糖尿病

Contents

11

九、痢　疾

十、肺部疾病

十一、胃部疾病

Contents

十二、胆脏疾病

十三、肝脏疾病

Contents

十七、关节、骨病

十八、皮肤病

十九、眼部疾病

Contents

二十、耳部疾病

一、气血亏虚

1 鲍鱼芦笋汤

【原料】鲍鱼150克,芦笋100克,鸡骨汤500毫升,豌豆苗10克,精盐、味精、麻油各适量。

【做法】鲍鱼、芦笋加鸡骨汤烧开后,加入豌豆苗和精盐,煮熟,下味精,淋麻油。每日1～2次。

【功效】适用于血虚体弱、头晕目暗、夜卧不宁等症。

2 鹑蛋莲杞汤

【原料】鹌鹑蛋4个,莲肉、枸杞、龙眼肉各10克,黑枣4枚,冰糖适量。

【做法】鹌鹑蛋煮熟去壳;莲肉、枸杞、龙眼肉、黑枣均洗净沥干。清水400毫升,烧开后,放入鹌鹑蛋、冰糖及各药,煮熟。每日2次。

【功效】适用于血虚心悸、失眠、健忘、脾虚食欲不振、泻痢等症。

3 烧汁焗鸭下巴

【原料】鸭下巴6只,面粉30克,葱花、蒜蓉各少许,食盐、蜜糖、老抽、烧汁、高汤各适量,花生油500克。

【做法】将鸭下巴洗净,晾干水分,加食盐、蜜糖、老抽腌15分钟,拍上

小贴士
免疫力低有迹象:经常感到疲劳;感冒不断;伤口难愈合易感染;肠胃娇气;易受传染病的攻击。 应加强锻炼而非盲目进补。

面粉待用。起锅烧油至六成热，放入鸭下巴炸至金黄色，捞起，滤干油分。起锅爆香葱花、蒜蓉，加入鸭下巴，注入高汤、烧汁略焗；待收汁，即可上碟。

【功效】适用于气血亏虚、四肢乏力。

4 原盅凤爪

【原料】猪肉100克，凤爪200克，党参2条，淮山50克，枸杞5克，鲜人参1条，红枣5粒，姜片4片，食盐适量。

【做法】将凤爪趾尖剁掉；猪肉飞水。起锅注入清水烧开，放入猪肉及凤爪煮沸后放入党参、淮山、枸杞、鲜人参、红枣、姜片烧开，转入瓦煲中转微火加盖

慢煲1小时，用食盐调味，即可食用。

【功效】适用于气血亏虚，体形消瘦，四肢乏力。

5 牛心红枣汤

【原料】牛心200克，红枣10枚，黄酒、姜、精盐、味精、麻油各适量。

【做法】牛心切片；红枣去核。同放于砂锅中，加水400毫升，烧开后，加入黄酒、姜片和精盐，小火煮至熟透，下味精，淋麻油。每日1～2次。

【功效】适用于血虚体弱、夜卧不宁、心悸、健忘等症。

6 阿胶蒸鸡肉

【原料】阿胶20克，鸡肉150克，龙眼肉15克，红枣5枚，生姜、黄酒、精盐、味精、麻油各适量。

【做法】阿胶捣碎，鸡肉切块，龙眼肉，红枣去核，同放于大瓷碗中，加入姜片、黄酒、精盐和清水400毫升，盖好，隔水蒸至酥烂，下味精，淋麻油。每日2次。

【功效】适用于血虚眩晕、心悸、崩漏、月

经过多、妊娠下血、肺结核咳血等症。

衰等症。

7 参枣牛心汤

【原料】牛心 300 克,党参、龙眼肉各 20 克,红枣 5 枚,生姜、黄酒、精盐、味精、麻油各适量。

【做法】牛心、党参、龙眼肉、红枣,同放于砂锅中,加水 500 毫升,烧开后,加入姜片和黄酒,小火煮至酥烂,下精盐、味精,淋麻油。每日 2 次。

【功效】适用于气血亏虚、烦躁失眠、心悸多梦、神经衰弱等症。

8 牛骨髓炒米粉

【原料】牛骨 1 千克,粳米 60 克,糯米 140 克。

【做法】牛肉放于砂锅中,用小火熬出骨髓油;粳米、糯米同炒熟,研粉,放于锅中翻炒,加热均匀,慢慢加入热牛髓油,边加边炒,以粉吃足油而不见油为度。即成。每日 3 次,每次 10～15 克。

【功效】适用于体弱、气血不足、未老先

9 牛骨髓地黄汤

【原料】熟地片 250 克,牛骨髓 150 克,蜂蜜适量。

【做法】熟地片加清水 500 毫升,煎至 250 毫升,去渣;再将牛骨髓洗净切段放入,煮熟,下蜂蜜,调匀。每日 1～2 次。

【功效】适用于气血两亏、腰膝酸软、头晕目眩、耳鸣等症。

10 粟米海鲜汤

【原料】蟹柳 5 条,鲜鱿 1 条,甜粟米 1 根,西兰花 50 克,姜片 3 片,蒜蓉 3 克,食盐、上汤、调和油各适量。

【做法】蟹柳斜刀切段;鲜鱿剥去外皮洗净,切成鱿鱼花,飞水;甜粟米斩段;西兰花飞水,过冷河。起锅爆香姜片、蒜蓉,注入上汤,放入甜粟米段煲 15 分钟至熟;用食盐调味,放入西兰花件、鱿鱼花、蟹柳段中火煮沸 2 分钟至熟,即可上汤碟。

小贴士

养生佳饮——西洋参红枣汤。3 片西洋参 5 粒红枣加水适量,开锅后小火煮 20 分钟,滤渣饮用。可养颜抗衰老,提升免疫力。

【功效】用于气血亏虚、消瘦、乏力等症。

心悸、眩晕、腰痛、阳痿等症。

11 太子羊肉羹

【原料】羊肉500克,太子参30克,龙眼肉20克,首乌15克,生姜、葱、黄酒、精盐、味精、胡椒粉、麻油各适量。

【做法】羊肉洗净,放开水锅中余一下,取出沥净,切成丁;太子参、龙眼肉、首乌共装纱布袋内,扎紧袋口,与生姜、葱同放于砂锅中,注入清水500毫升,烧开后,撇去浮沫,加入黄酒和精盐,小火炖至羊肉酥烂。取出药纱袋、姜块和葱,下味精,胡椒粉,淋麻油。每日1~2次。

【功效】适用于气血两亏、形体瘦弱、肢寒畏冷、面色萎黄、气短乏力、

12 羊肉糯米粥

【原料】羊肉200克,糯米100克,生姜、葱白、精盐、麻油各适量。

【做法】羊肉洗净切块;糯米淘净,同放砂锅中,注入清水1升,烧开后,小火慢熬至粥将成时,再将生姜、葱白洗净切碎放入,继续熬至粥成,下精盐,淋麻油。每日2次,空腹服。

【功效】适用于中老年人阳气不足、气血亏损、畏寒肢冷、腰膝酸软等症。

13 归芪羊肉粥

【原料】羊肉300克,当归、黄芪、白芍、熟地各10克,粳米100克,生姜、精盐、味精、麻油各适量。

【做法】先将羊肉切片;当归、黄芪、白芍、熟地分别洗净与50克羊肉,同放于锅中,注入清水2升,煎至1升,去渣留汁于锅中;粳米淘净,再将羊肉250克和姜丝放入,慢熬成粥,下精盐、味精,淋麻油,调匀。每日

2 次,空腹服。

【功效】适用于虚损瘦弱、形容枯槁、气血不足等症。

14 猪脊骨炖莲藕

【原料】猪脊骨 500 克,莲藕 250 克,精盐、味精各适量。

【做法】猪脊骨剁成小块;莲藕切块;同放于砂锅中,注入清水 800 毫升,烧开后,撇去浮沫,小火炖至酥烂,下精盐、味精,调匀。每日 2 次。

【功效】适用于气血虚弱、面色苍白、腰膝酸软、四肢无力、慢性腰痛、陈旧性腰肌损伤等症。

15 辣味元蹄

【原料】猪肘 1 只,八角、桂皮、茴香、姜条、红椒丝、蒜蓉、胡椒粉、食盐、香醋、老抽、白糖、黄酒、上汤、色拉油各适量。

【做法】将猪肘洗净,飞水,用洁布吸干水分,涂少许老抽上色。起锅煎香八角、桂皮、茴香、姜条,注入上汤,倾入黄酒,用白糖、食盐及胡椒粉调味,放入猪肘,猛

火烧沸后转小火焖 30 分钟至稔,取出晾凉,切片上碟。用食盐、蒜蓉、香醋拌匀成调味汁,淋于猪肘片上,撒上红椒丝即可。

【功效】用于气血两亏、四肢畏冷等症。

16 猪腰核桃参芪汤

【原料】猪腰 1 对,党参、黄芪各 20 克,炙甘草 10 克,核桃肉 50 克,生姜、精盐、味精、麻油各适量。

【做法】党参、黄芪、炙甘草水煎 2 次,每次用水 300 毫升,煎 30 分钟,两次混合,去渣留汁于锅中;再将猪腰 1 对剖开,除去臊腺,洗净切片;核桃肉洗净,连同姜丝、精盐放入锅中,继续煮至熟透,下味精,淋麻油。每日

小贴士

亲密拥抱可延长寿命! 研究表明,情侣间深情的拥抱可激发人体荷尔蒙分泌,从而降血压、减血脂,还能减少得心脏病的几率。

2次。

【功效】适用于气血亏虚、腰膝酸软、四肢无力、阳痿、妇女阴冷等症。

17 参芪蒸鹿肉

【原料】鹿肉500克,党参、黄芪各20克,红枣10枚,熟火腿肉50克,鸡清汤1千克,黄酒、葱、生姜、精盐、味精各适量。

【做法】鹿肉洗净切片,放开水锅中汆一下,取出沥干;党参、黄芪、红枣去核;熟火腿肉切碎与鸡清汤同放于大瓷碗中,加入黄酒、葱段、姜片、精盐,盖好,上锅隔水蒸至酥烂,拣出党参、黄芪、葱段和姜片,下味精,调匀。每日2次。

【功效】适用于气血两虚、倦怠乏力、语音低微等症。

18 参芪乌鸡

【原料】乌鸡1只,黄芪30克,熟地15克,丹参20克,川芎10克,人参片10克,生姜、葱、黄酒、精盐、味精、麻油各适量。

【做法】乌鸡洗净,放开水锅中汆一下,

捞出切成条状,放于大瓷碗中,加入姜片、葱段、人参片和黄酒,隔水蒸至酥烂,拣出葱、姜,将鸡肉扣于碗中;鸡脚及翅膀和黄芪、熟地、丹参、川芎一起装入纱布袋内,放于砂锅中,注入清水400毫升,用小火炖1小时,去渣留汁于锅中,加入精盐、味精,调匀,收取浓汁,浇在鸡肉上面,淋麻油。单食或佐餐。

【功效】适用于气血不足、四肢末端发绀、皮肤青紫、僵硬、全身无力、少气懒言、面色苍白、老年体弱、久病亏损、贫血等症。

19 参归芍地蒸乌鸡

【原料】乌鸡1只,党参20克,当归10克,白芍、熟地、龙眼肉、甘草各5克,生姜、精盐、味精、麻油各适量。

【做法】乌鸡洗净;党参、当归、白芍、熟地、龙眼肉、甘草分别洗净,装于纱布袋内,纳入鸡腹腔,放于大瓷碗中,加入姜片,精盐和清水300毫升。盖好,隔水蒸至酥烂,拣出药纱袋,下味精,淋麻油。每日1～2次。

【功效】适用于气血两亏、肢体瘦弱、神疲力乏、头晕目眩等症。

20

汽锅乌鸡

【原料】乌骨鸡1只,冬虫夏草、黄精、熟地各5克,党参10克,玉兰片60克,香菇丝30克,生姜、黄酒、精盐、味精、胡椒粉、麻油各适量。

【做法】乌骨鸡洗净切块;气锅洗净。先放入鸡块,依次将洗净、润软的冬虫夏草、黄精、熟地、党参、玉兰片、香菇丝均匀摆在鸡块上面,加入姜片、黄酒、精盐和清水500毫升,然后把气锅放于蒸锅之上,用布将两锅之间的缝隙堵严。蒸2～3小时,出笼后,拣出黄精、熟地和党参,下味精、胡椒粉,淋麻油,调匀。每日1～2次。

【功效】适用于气血两亏、头晕目眩、健忘、耳鸣、阳痿、遗精、盗汗等症。

21

法汁牛仔骨

【原料】牛仔骨500克,鲜橙半个,红椒1个,黑椒碎、食盐、白糖、生粉、法汁、柠檬汁、红葡萄酒、牛油各适量。

【做法】将牛仔骨斩件,用生粉、黑椒碎、红葡萄酒拌匀腌1小时;鲜橙去皮切粒;红椒切粒。牛油起锅煎香牛仔骨,注入红葡萄酒,用食盐、白糖调味,加盖焖10分钟至收汁,上碟。起锅注入法汁、柠檬汁,待烧开加入鲜橙粒和红椒粒拌匀,勾薄芡淋于碟中牛仔骨面即可。

【功效】适用于气血亏虚、四肢无力等症。

22

蒜苗焖白鳝

【原料】白鳝1条,蒜苗100克,青红椒1个,蒜子6粒,姜片2片,食盐、生粉、海鲜酱、老抽、料酒、

肝癌致病原因:病原性肝炎是引起肝癌的主要原因;霉变花生玉米中所含的黄曲霉素易进入肝脏致癌;酗酒同样也会诱发肝癌。

上汤各适量,花生油 500 克。

【做法】将白鳝宰完洗净,切段,用食盐、花生油略腌,拍上生粉;蒜苗切段;青红椒件。起油锅烧至七成油温,放入白鳝段拉油至金黄,捞起沥干油分;再放入蒜子炸至金黄,捞起待用。起锅爆香姜片;放入蒜苗段、青红椒件爆炒;放入白鳝段、蒜子,溅入料酒、老抽翻炒;注入上汤焖 5 分钟,用食盐、海鲜酱调味炒匀;转入烧热的瓦煲中略焖即可。

【功效】适用于气血不足、营养不良等症。

23
十全大补鸡

【原料】母鸡 1 只,当归、党参、熟地、茯

苓、黄芪各 10 克,炒白术、白芍、川芎、肉桂、炙甘草各 5 克,香菇 10 克,红枣 10 枚,葱、姜、黄酒、精盐、味精各适量。

【做法】母鸡洗净切块;当归、党参、熟地、茯苓、黄芪、炒白术、白芍、川芎、肉桂、炙甘草分别洗净,同装于纱布袋内;与鸡肉同放于砂锅中,注入清水 700 毫升,烧开后,撇去浮沫,加入香菇丝、红枣、葱段、姜片、黄酒和精盐,小火炖至酥烂,拣出药纱袋,下味精,调匀。每日 2~3 次。

【功效】适用于气血两虚、面色萎黄、食欲不振、精神倦怠、腰膝酸软等症。

24
荷花莲肉鸡汤

【原料】莲肉 50 克,鸡脯肉 100 克,荷花 100 克,姜、精盐、味精、麻油各适量。

【做法】莲肉、鸡脯肉洗净切片,加入 600 毫升清水,大火烧开,小火煮至酥烂时,再将荷花和姜片、精盐一起放入,同煮至花熟,下味精,淋麻油。每日 1~2 次。

【功效】适用于气血亏虚、面色无华、皮肤粗糙等症。

25
荷花糯米粥

【原料】糯米 100 克,荷花 100 克,冰糖
　　　　适量。

【做法】糯米加 1 升水大火烧开,小火慢
　　　　熬至粥将成时,再将荷花洗净切
　　　　片和冰糖一起放入至花熟糖溶。
　　　　每日 2 次,空腹服。

【功效】适用于气血亏虚、未老先衰、神
　　　　疲乏力等症。

26
卤驴肉

【原料】鲜驴肉 1.5 千克,八角、肉桂、
　　　　草果、砂仁、花椒、小茴香、橘
　　　　皮、甘草、姜片、酱油、黄酒、精
　　　　盐、味精、白糖各适量。

【做法】鲜驴肉切大块,放开水锅中汆
　　　　一下,捞出、沥干;八角、肉桂、
　　　　草果、砂仁、花椒、小茴香、橘
　　　　皮、甘草、姜片、酱油、黄酒、精
　　　　盐、味精、白糖各适量,加 500
　　　　毫升清水慢熬成卤汁,滤去渣,
　　　　加入驴肉块,继续炖至肉烂汁
　　　　浓,下味精,调匀。单食或
　　　　佐餐。

【功效】适用于气血不足、腰膝酸软、体
　　　　倦乏力等症。

27
参芪酱肘

【原料】猪肘 1 个,黄芪、党参各 30 克,当
　　　　归、熟地各 15 克,肉桂、砂仁各 5
　　　　克,八角、花椒、精盐、白糖、黄酒、
　　　　酱油各适量。

【做法】黄芪、党参、当归、熟地、肉桂、砂仁、
　　　　八角、花椒共装于纱布袋内,与猪肘
　　　　同放于砂锅中,注入 1 升清水,烧开
　　　　后,撇去浮沫,炖至熟透时,拣出药
　　　　纱袋,下精盐、白糖、黄酒和酱油,继
　　　　续炖至肉酥汁浓,取出,用刀划破成
　　　　小块。每日 2～3 次。

【功效】适用于久病缠绵、气血两虚、倦怠神
　　　　疲、面色无华、气短懒言、自汗、盗汗
　　　　等症。

28
驴肉汤

【原料】驴肉 300 克,葱、姜、黄酒、味精、胡
　　　　椒粉、麻油各适量。

【做法】驴肉洗净切块,加 500 毫升清
　　　　水烧开后,加入葱、姜、黄酒和
　　　　精盐,炖至酥烂,下味精、胡椒

小贴士

秋令时节昼夜温差大,慢性肝病易复发。可适当多饮温开水,常吃新
鲜多汁的蔬菜,同时少吃冷食和大蒜辣椒等刺激性食物。

粉,淋麻油。每日1～2次。

【功效】适用于气血亏虚、忧郁心烦、神志失调等症。

29

冬笋焖鸡

【原料】三黄鸡半只,冬笋250克,青红椒1个,姜片2片,葱段5段,食盐、生粉、胡椒粉、料酒、蚝油、上汤各适量,花生油2汤匙。

【做法】将三黄鸡斩件,用食盐、生粉、花生油略腌;冬笋切块;青红椒切菱形件。起锅爆香姜片、葱段、青红椒件,放入鸡件爆炒,溅入料酒,放入冬笋翻炒,注入上汤,加食盐、蚝油调味拌匀,

加盖中火焖15分钟。待汤汁收浓,用生粉勾薄芡;转入烧热的瓦煲中煮沸,撒上胡椒粉即可。

【功效】适用于气血两亏、身体羸瘦等。

30

荷花拌火腿

【原料】荷花5朵,火腿肉200克,麻油、精盐、味精各适量。

【做法】荷花剥成瓣,切成丝,泡在清水中;火腿肉也切成同样粗细的丝。分别放入滚开水中烫熟,捞出沥干,装于盘中,加入麻油、精盐、味精,拌匀,腌渍入味。单食或佐餐。

【功效】适用于气血亏虚、肌肤枯燥无华等症。

31

参芪兔肉汤

【原料】兔肉200克,山药30克,红枣10枚,党参、黄芪、枸杞各15克,精盐、麻油各适量。

【做法】兔肉洗净切块;生姜洗净拍裂;山药、红枣洗净沥干;党参、黄芪、枸杞洗净，同装纱布袋中。一起放于砂锅里，注入 500 毫升清水，小火炖至兔肉酥烂，取出药纱布袋，下精盐，淋麻油，调匀。每日 1～2 次。

【功效】适用于气血亏虚、头晕目眩、心慌气短、四肢无力等症。

32
参杞狗肉

【原料】党参、枸杞各 10 克，菟丝子、牛膝各 10 克，砂仁、橘皮各 5 克，狗肉 1 千克，姜、葱、黄酒、酱油、白糖、精盐、味精各适量。

【做法】党参、枸杞、菟丝子、牛膝、砂仁、橘皮水煎 2 次，每次用水 400 毫升，煎 30 分钟，两次混合，去渣留汁；狗肉刮洗干净，切块，开水汆过，沥干与姜、葱同炒干水分，加入黄酒、酱油、白糖、精盐、姜块和葱结，加盖，焖至入味，然后，放入药汁，焖至狗肉酥烂，拣出姜块、葱结，下味精，调匀。

【功效】适用于气血两亏、形寒肢冷、腰膝或小腹冷痛、阳痿、月经不调、五更泻等症。

33
柠汁焖排骨

【原料】排骨 400 克，青、红椒各 1 个，姜片 2 片，食盐、白糖、绍酒、柠檬汁、橙汁、花生油、上汤、生粉各适量。

【做法】将排骨洗净，斩件，飞水，去除杂质；青、红椒切菱形件。起锅爆香姜片，放入排骨件，溅入绍酒爆炒；注入柠檬汁、橙汁、上汤，用食盐、白糖调味拌匀，放入青、红椒件，加盖焖 15 分钟至稔。待汤汁收浓，用生粉勾芡即可上碟。

【功效】适用于气血两亏、四肢无力等。

34 阿胶参枣汤

【原料】阿胶 15 克,红参 10 克,红枣 10 枚。

【做法】阿胶、红参、红枣同放于大瓷碗中,注入 300 毫升清水,盖好,隔水蒸 1 小时即可。每日 2 次。

【功效】适用于气血两虚、头晕心慌、贫血等症。

35 红枣煨肘

【原料】猪肘肉 1 千克,清汤 1 升,去核红枣 200 克,冰糖块、酱油、黄酒、葱、姜、精盐、味精各适量。

【做法】清汤和猪肘肉共烧开,撇去浮沫,加入红枣、冰糖、酱油、黄酒、葱、姜和精盐,转用小火煨 2～3 小时,直至猪肘肉酥烂,拣出葱结、姜块,下味精,调匀。单食或佐餐。

【功效】适用于血气亏虚、脾运不健、食欲不振、消瘦乏力、血小板减少等症。

36 驴肉枣药汤

【原料】驴肉 250 克,红枣 10 枚,山药 30 克,生姜、精盐、味精、麻油各适量。

【做法】驴肉洗净切块,放于砂锅中,注入 500 毫升清水,烧开后,再将红枣去核,山药切片,和姜片、精盐一起放入,转用小火炖至酥烂,下味精,淋麻油。每日 1～2 次。

【功效】适用于气血两虚、体倦乏力、食欲不振等症。

37 芪枣猪瘦肉汤

【原料】猪瘦肉片 250 克,黄芪片 30 克,去核红枣 10 枚,姜、精盐、味精各适量。

【做法】猪瘦肉、黄芪片、红枣加 600 毫升清水烧开后,加入姜片和精盐,炖至猪瘦肉酥烂,拣出黄芪,下味精,调匀。每日 2 次。

【功效】适用于气血两虚、身体瘦弱、贫血、病毒性心肌炎等症。

38

荔枝炒鸡球

【原料】 净鸡肉 300 克,香菇 30 克,荔枝肉 20 克,鸡蛋清、水淀粉、清汤、麻油、胡椒粉、葱、姜、黄酒各适量。

【做法】 净鸡肉洗净,切成球状,放于碗中,用鸡蛋清和水淀粉混合拌匀;另将清汤、水淀粉、麻油、胡椒调成芡汁。先将鸡球翻炒至熟,倒出,炒锅中再下适量油,倒入葱、姜、香菇、荔枝肉、熟鸡球和黄酒,炒匀,勾薄芡。单食或佐餐。

【功效】 适用于气血亏虚、体倦乏力等症。

39

茄汁焖排骨

【原料】 排骨 400 克,西兰花 100 克,青红椒各 1 个,姜片 3 片,葱段 2 段,食盐、胡椒粉、绍酒、老抽、茄汁、上汤、生粉各适量,花生油 500 克。

【做法】 将排骨洗净,斩件,拍上生粉;西兰花洗净,飞水,过冷河;青

红椒切菱形件。将排骨件用六成油温拉油至熟,捞出沥干油分。起锅爆香姜片、葱段、青红椒件,放入排骨件,溅入老抽、绍酒翻炒上色,注入茄汁、上汤焖 15 分钟,加食盐、胡椒粉调味拌匀;用生粉勾芡,淋包尾油上碟,用西兰花伴边即可。

【功效】 适用于气血亏虚、四肢乏力等。

40

猪肝当归补血

【原料】 猪肝片 150 克,当归 6 克,黄芪 30 克,精盐、味精、麻油各适量。

【做法】 当归、黄芪水煎 2 次,每次用水 200 毫升,煎 30 分钟,两次混合,去渣,继续烧开,加入腌好的猪肝片,煮熟,下精盐、味精,

养肝食补——以味补肝,首选食醋:醋可平肝散淤、解毒抑菌;舒肝养血,菠菜最佳:菠菜滋阴润燥,有效缓解肝气不舒。

淋麻油。

【功效】适用于气血两亏、面色苍白、唇甲苍白、头晕目眩、耳鸣耳聋、心悸、失眠等症。

41
厚街烧鹅

【原料】光鹅1只,盐、白糖、绍酒、生抽、老抽、烧鹅皮水各适量。

【做法】光鹅洗净抹干水分。将以上调料擦于光鹅肚内。抹上烧鹅皮水,在阴凉处风干。放入烧炉烧15分钟即可。

【功效】适用于气血不足、营养不良。

42
山药炸兔肉

【原料】兔肉250克,山药、淀粉各100克,黄酒、精盐、味精、酱油各适量。

【做法】兔肉切成小块,加黄酒、精盐、味精、酱油,拌匀,腌渍入味;山药粉与淀粉加水混合成粉糊。将兔肉块裹上,油炸至呈金黄色捞出。单食或佐餐。

【功效】适用于气血不足、脾胃虚弱、面黄肌瘦、食欲不振等症。

43
酒酿蒸鲥鱼

【原料】鲥鱼1条,酒酿50克,黄酒、精盐、葱、姜、味精各适量。

【做法】鲥鱼剖成两片,除去内脏,刮尽腹中黑膜,洗净后用黄酒、精盐擦遍鱼全身;网油洗净,平摊在砧板上,将鱼放在网油上,鱼身上再放上黄酒,加味精,用网油包紧,放在长盘中,上面再放上葱结、姜片。放蒸笼中蒸熟,拣出葱姜即成。每日2次。

【功效】适用于气血不足、脾胃虚弱、食欲不振、体倦乏力等症。

44

枸杞地麻 酒

【原料】枸杞 50 克,生地片 30 克,火麻仁 50 克,白酒 500 毫升。

【做法】枸杞、生地片、火麻仁同浸于白酒中,密封 15 天。每日 2 次,每次 15～20 毫升。

【功效】适用于气血亏虚、容颜憔悴、神疲乏力等症。

45

参归鲳鱼 汤

【原料】党参 15 克,当归 10 克,鲳鱼 1 条,姜、酒、味精各适量。

【做法】党参、当归水煎 2 次,每次用水 300 毫升,煎 30 分钟,两次混合,去渣留汁于锅中。然后将鲳鱼剖腹去内脏,放另一锅中用姜、酒、油煎至两面金黄后,再放入砂锅药汁中,继续加热,煮至熟透,下味精,调匀。每日 1～2 次。

【功效】适用于气血不足、脾胃虚弱、面色苍白、神疲力乏、头晕心悸等症。

46

生鱼三 味

【原料】生鱼 1 条,青椒粒、洋葱料各 10 克,鸡蛋 1 个,杞子、蒜蓉、葱白、盐、生粉、茄汁、芡汤、淮盐、白糖、高汤、花生油各适量。

【做法】先将生鱼两侧起肉。生鱼头抹上生粉,入油锅炸至脆洒上淮盐。1 条鱼肉切件,抹上生粉、蛋浆入炉用高温油炸至金黄色,洒上茄汁。另 1 条鱼肉切丁,起锅爆香蒜蓉、葱白,加入洋葱粒、青红椒粒炒香,加入调料拌匀,加入少许高汤略煮,洒上杞子,推入芡汤即可上碟。

【功效】适用于气血两亏、营养不良。

47 龙眼红枣汤

【原料】 龙眼肉 30 克,红枣 5 枚,红糖各适量。

【做法】 龙眼肉、红枣加 300 毫升清水烧开后,加入红糖,小火煮 10 分钟。每日 2 次。

【功效】 适用于气血不足、心悸失眠、久病体虚等症。

48 龙眼鸽蛋汤

【原料】 龙眼肉 30 克,枸杞 15 克,鸽蛋 2 个,冰糖适量。

【做法】 龙眼肉、枸杞分别洗净,加水烧开后,再将鸽蛋打入,煮熟后,下冰糖,继续煮至糖溶。每日 1～2 次。

【功效】 适用于气血虚弱、智力减退、年老体衰等症。

49 蚂蚁黄芪散

【原料】 干蚂蚁 200 克,黄芪 100 克,蜂蜜适量。

【做法】 干蚂蚁、黄芪分别焙干,共研细末。每日 3 次,每次 10～15 克,用蜂蜜调服。

【功效】 适用于气血两亏、四肢酸软等症。

50 姜醋炒章鱼

【原料】 章鱼 250 克,生姜、精盐、醋各适量。

【做法】 章鱼润软,洗净切碎;炒锅下油,先投入姜片爆香,再放章鱼,炒匀后,加盐和清水适量,加盖焖熟,揭盖放醋炒匀。每日 2 次。

【功效】 适用于气血两亏、面色苍白、体倦乏力等症。

51 鲜虾沙姜汤

【原料】 鲜河虾 100 克,沙姜 10 克,白酒、精盐、味精、麻油各适量。

【做法】 鲜河虾、沙姜同放于砂锅中,注入白酒和清水 150 毫升,烧开后,小火煮至熟透,下精盐、味精,淋麻油。每日 1～2 次。

二、感冒

1 香菜萝卜饮

【原料】 萝卜 150 克,香菜 30 克。

【做法】 萝卜洗净切块,注入 300 毫升清水,煮熟后,再将香菜洗净切段放入,再烧开即可。每日 1～2 次。

【功效】 适用于感冒无汗、麻疹透发不畅等症。

2 子姜焖鸡

【原料】 光鸡半只,子姜 150 克,青红椒 1 个,葱段 5 段,食盐、胡椒碎、老抽、上汤、生粉各适量,花生油 500 克。

【做法】 将光鸡洗净,斩件,用食盐、生粉、花生油拌匀腌 5 分钟,子姜切片;青红椒切菱形件。起油锅烧至七成热,放入鸡件拉油至熟,捞起沥干油分。起锅放入子姜爆炒,放入鸡件,溅入老抽翻炒至上色均匀,注入上汤,用食盐调味略焖。转入烧热的沙煲中;撒入胡椒碎、葱段,略焖即可。

【功效】 适用于感冒等症。

3 知了瘦肉汤

【原料】 知了(蝉蜕)10 克,瘦肉 100 克,蜜枣 2 粒,盐、白糖各适量。

小贴士
香蕉越熟,防病效果越好! 香蕉能增加白血球,改善免疫系统的功能,越成熟的香蕉,免疫活性越高,抗病能力也就越强。

【做法】将知了洗净待用。将瘦肉洗净，放入沸水中飞水。将所有材料放入沸水中慢火煲45分钟，调味即可。

【功效】退烧解毒，适用于感冒等。

4 橄榄葱姜饮

【原料】橄榄50克，葱白、生姜、紫苏叶各10克。

【做法】橄榄、葱白、生姜、紫苏叶分别洗净，共煎2次，每次用水400毫升，煎20分钟，两次混合，去渣。每日2次。

【功效】适用于伤风感冒、鼻流清涕、喷嚏、胸胀满、呕吐等症。

5 姜酒草鱼汤

【原料】草鱼肉200克，生姜15克，米酒50毫升，精盐、味精、麻油各适量。

【做法】将草鱼肉洗净切片；生姜洗净切丝和米酒一起放入400毫升烧开的清水中，煮至熟透，下精盐、味精、淋麻油，调匀。每日2次。

【功效】适用于风寒感冒、头痛、畏寒等症。

6 香菜饴糖汤

【原料】香菜30克，饴糖15克，米汤300毫升。

【做法】香菜、饴糖、米汤共煮糖溶。每日1～2次。

【功效】适用于伤风感冒、咳嗽痰多泡沫等症。

7 荸荠姜糖饮

【原料】荸荠 250 克，生姜 20 克，冰糖适量。

【做法】荸荠洗净切片；生姜洗净拍裂；加水煮熟放入冰糖待溶后去渣取汁。每日 2 次。

【功效】适用于风寒感冒。

8 金橘莲藕汤

【原料】金橘 5 个，莲藕 100 克，糖、酒均适量。

【做法】金橘洗净切成圆薄片；莲藕切片。加 400 毫升清水煮熟透，下糖、酒，调匀。每日 1～2 次。

【功效】适用于感冒、咳嗽痰多等症。

9 蟹黄扒冬笋

【原料】冬笋 100 克，蟹黄 30 克，柠檬、盐、麻油、芡汤、高汤各适量。

【做法】先将冬笋放入沸水灼熟后，切片。煮沸高汤，加入味料，推入蟹黄。加入芡汤、柠檬丝拌匀，淋在冬笋面上即可。

【功效】适用于感冒咳嗽。

10 嫩姜鲑鱼片

【原料】鲑鱼肉 200 克，嫩姜 20 克，淀粉、精盐、黄酒、味精各适量。

【做法】鲑鱼肉洗净切成薄片；嫩姜洗净切成末。同放于碗中，加入淀粉和精盐，拌匀，腌渍入味。起锅下油，倒入腌好的鲑鱼肉片，翻炒均匀，加入黄酒和味精，加盖片刻，炒至熟透。单食或佐餐。

【功效】适用于伤风鼻塞初起、胃寒肢

防醉酒，喝酸奶！ 酸奶能保护胃黏膜、延缓酒精吸收，喝酒前饮用效果显著。 酸奶钙含量丰富，对缓解酒后烦躁也很有效。

冷、胃脘急痛或冷痛、食欲不振、口淡尿频等症。

11

枣姜葱苏汤

【原料】红枣50克，生姜、紫苏叶各10克。

【做法】红枣、生姜、紫苏叶共煎2次，每次用水300毫升，煎20分钟，两次混合，取汁，当茶饮。

【功效】适用于风寒感冒。

12

豆腐酸辣汤

【原料】豆腐150克，黑木耳10克，冬笋、胡萝卜各20克，醋20毫升，精盐、味精、水淀粉、葱花、胡椒粉、麻油各适量。

【做法】豆腐切成小条状，放开水锅中氽一下；黑木耳水发，与冬笋、胡萝卜均切成丝。锅置旺火上，注入150毫升清水，烧开后，先投木耳、冬笋、胡萝卜，再烧开，加入醋、精盐和味精，用水淀粉勾芡，再下豆腐条，煮熟，撒葱花、胡椒粉，淋麻油。趁热服。

【功效】适用于风寒感冒、咳嗽鼻塞

等症。

13

黄酒葱豉汤

【原料】淡豆豉15克，连须葱白30克，黄酒50毫升。

【做法】淡豆豉加水150毫升，煮10分钟，加入洗净的连须葱白，共煮5分钟，去渣，兑入黄酒。每日1～2次。

【功效】适用于风寒感冒、头痛鼻塞等症。

14

辣椒花椒汤

【原料】红辣椒15克，花椒5克，姜片2片，精盐适量。

【做法】红辣椒洗净拍裂与花椒、姜片同放入砂锅中，注入清水200毫升，煎至150毫升，去渣，加入精盐，调匀。每日1～2次。

【功效】适用于风寒感冒。

15

醋泡大蒜

【原料】紫皮大蒜200克，醋500毫升。

【做法】紫皮大蒜剥瓣去膜,放冷开水浸泡12小时,沥干,加醋,密封浸泡50天。每日2~3次。

【功效】适用于伤风感冒、恶寒发热等症。

16

葱豉

【原料】淡豆豉10克,葱白、生姜各10克。

【做法】淡豆豉加水300毫升,煎15分钟,再加入葱白和生姜同煎10分钟,去渣取汁。每日2次。

【功效】适用于伤寒头痛、壮热等症。

17

葱白粥

【原料】粳米150克,葱白5根,味精、麻油各适量。

【做法】粳米加水800毫升,烧开后,慢熬至粥将成时,再将葱白洗净切碎和精盐一起放入,熬至粥成,下味精,淋麻油,拌匀。每日1~2次。

【功效】适用于痢疾初起、腹痛、胃纳差、感冒初起、畏寒等症。

18

苦瓜炒牛肉

【原料】嫩苦瓜100克,嫩牛肉50克,生姜10克,蒜瓣10克,豆豉5克,花生油20克,盐5克,味精5克,白糖2克,蚝油10克,胡椒粉、水生粉各适量,麻油2克。

【做法】苦瓜去籽切成片;牛肉切片;生姜去皮切成米;蒜瓣切成米;豆豉洗净切米。牛肉片加少许盐、味精、绍酒,用水生粉腌过,烧锅下油,待油热时放入牛肉,滑炒至八成熟,倒出待用。另烧锅下油,放入蒜米、豆豉米、苦瓜炒至断生,调入剩下的盐、味精、白糖、蚝油、牛肉片、胡椒粉炒匀入味,用水生粉勾芡,淋

上麻油入碟即可。

【功效】适用于体虚感冒。

19 生姜煲水鸭

【原料】水鸭1只,生姜15克,淮山10克,枸杞10克,冬瓜50克,盐10克,味精12克,绍酒15克,胡椒粉少许。

【做法】水鸭去净内脏,留整只;淮山、枸杞洗净;冬瓜去皮、去籽切块;生姜去皮,切片。将瓦煲放在火炉上,加入水鸭、淮山、枸杞、生姜、绍酒,注入清水,用大火烧开后,改用小火煲3小时。然后加入冬瓜块煲40分钟后,调入盐、味精、胡椒粉即成。

【功效】适用于感冒发热。

20 葱姜红糖饮

【原料】葱白50克,生姜20克,红糖适量。

【做法】葱白、生姜加水400毫升,烧开后,加入红糖,煮至糖溶。每日2次。

【功效】适用于风寒感冒。

21 香菜粥

【原料】粳米100克,香菜20克,熟牛肉丝50克,姜丝、橘皮末、精盐、味精、麻油各适量。

【做法】粳米加水1升慢熬至粥将成时,再将香菜洗净切段,和熟牛肉丝、姜丝、橘皮末、精盐一起放入,继续烧开,下味精,淋麻油,调匀。

【功效】适用于风寒感冒、头痛、鼻塞等症。

22 炒米生姜粥

【原料】粳米50克,生姜30克,精盐

适量。

【做法】粳米淘净,炒至焦黄时,注入 700 毫升清水,烧开后,再将生姜洗净切薄片放入,慢熬成粥,下精盐,调匀。每日 1～2 次。

【功效】适用于外感风寒、鼻塞流涕、咳嗽痰稀、胃寒呕吐、腹胀、食欲不振等症。

23 神仙 粥

【原料】糯米 100 克,姜片 10 克,葱白 7 根,醋 20 毫升。

【做法】糯米加入 1 升清水,烧开后,加入姜片,转用小火慢熬至粥将成时,再放葱白,略熬片刻,下醋调匀。每日 2 次,空腹服。

【功效】适用于风寒感冒、头痛、发热、怕冷、鼻塞流涕、咳嗽喷嚏、食欲不振等症。

24 白菜葱姜 饮

【原料】大白菜 100 克,葱、姜各 20 克。

【做法】大白菜、葱、姜加水 400 毫升,煎至 300 毫升,去渣取汁。每日 1～2 次。

【功效】适用于伤风感冒、气管炎、咳嗽等症。

25 芥菜豆腐 汤

【原料】水豆腐 2 块,芥菜 250 克,橄榄 4 枚,生姜、精盐、味精、麻油各适量。

【做法】水豆腐注入 500 毫升清水,小火煮至呈蜂窝眼状时,再将芥菜洗净切段;生姜切丝连同橄榄一起放入,继续同煮至菜熟,下精盐、味精,淋麻油。每日 2 次,趁热食菜喝汤。

【功效】适用于风寒感冒、鼻塞、畏寒无汗、厌食等症。

26 芥菜牛肉 汤

【原料】牛肉 100 克,芥菜 250 克,姜丝、酱油、淀粉、味精、麻油各适量。

【做法】牛肉洗净切薄片,装于碗中,加入姜丝、酱油、淀粉、味精拌匀,腌渍入味,芥菜洗净切碎,加清水 400 毫升,同煮至熟透,下味精,淋麻油。每日 1～2 次。

【功效】适用于风寒感冒、恶寒头痛、周

小贴士

秋季天气干燥,手掌易脱皮,应减少洗手次数。避免用洗手液等刺激性洗涤用品,洗衣服时尽量戴手套,2～3 周即可自愈。

食 疗

身骨痛、咳嗽痰白等症。

27 大葱牛肉丝

【原料】嫩牛肉 150 克，大葱 100 克，红椒 1 个，生姜 10 克，香菜少许，花生油 20 克，盐 5 克，味精 6 克，胡椒粉少许，柱侯酱 5 克，老抽王 5 克，麻油 1 克，水生粉适量。

【做法】嫩牛肉切成丝；大葱切成丝；红椒切成米；生姜去皮切成米；香菜洗净切成粒。嫩牛肉丝调入部分盐、味精、水生粉腌约 3 分钟，把大葱丝先摆入碟内。烧锅下油，待油热时放入姜米、红椒米、柱侯酱炒香锅，放入牛肉丝，用中火炒至牛肉快熟时再调入剩下的盐、味精、胡椒粉、

老抽王炒匀，用水生粉勾芡，淋上麻油，撒上香菜米，出锅倒入大葱上即成。

【功效】适用于感冒。

28 冰糖蒸清明菜

【原料】鲜清明菜、冰糖各 50 克。

【做法】鲜清明菜、冰糖加水 200 毫升，装于碗中，隔水蒸熟，取汁。每日 1～2 次。

【功效】适用于风寒感冒、咳嗽多痰等症。

29 银菊粟米粥

【原料】金银花、菊花各 10 克，粟米 100 克。

【做法】金银花、菊花焙干研末；粟米淘净。放于砂锅中，注入 800 毫升清水，小火慢熬至粥成时，将药末缓缓调入，稍煮即可。

【功效】适用于预防中暑、风热感冒、头痛目赤、咽喉肿痛、高血压、冠心病、肥胖病、小儿热疖等症。

30 紫苏杏仁粥

【原料】杏仁 20 克,粳米 100 克,紫苏叶
20 克。

【做法】杏仁、粳米加水 1 升,大火烧开,
转小火慢熬至粥将成时,再加入
紫苏叶熬至粥成。空腹服。

【功效】适用于感冒咳嗽、痰多、胸脘痛
等症。

31 苏叶辛夷

【原料】紫苏叶 10 克,辛夷 5 克。

【做法】紫苏叶、辛夷放于大茶盅中,注
入 150 毫升开水,加盖,温浸 20
分钟。每日 2 次。

【功效】适用于感冒头痛。

32 芥菜银花绿豆汤

【原料】绿豆 50 克,芥菜 150 克,金银
花 50 克,红糖适量。

【做法】绿豆注入清水 600 毫升,大火
烧至豆瓣开裂时,再将芥菜洗

净切段,和金银花、红糖一起放
入,转用小火煮 20 分钟,去渣
取汁。每日 2 次。

【功效】适用于外感风热、目赤肿痛、小
便不利等症。

33 生姜炒蛋丝

【原料】鸡蛋 3 个,红萝卜 10 克,豆芽 10
克,韭黄 10 克,韭菜花 10 克,猪
瘦肉 15 克,生姜 50 克,植物油
20 克,盐 5 克,味精 5 克,白糖 2
克,水生粉适量。

【做法】红萝卜去皮切丝;豆芽去两头;
韭黄洗净切 2 段;韭菜花切段,
姜去皮切段;瘦肉切丝,用少许
盐、水生粉腌好。鸡蛋打散,用
平锅烧热下少许油,把鸡蛋倒

嘴唇的健康信号:唇色发白常见于贫血和失血症;唇色泛青易患血管栓塞、中风等急性病;唇色黯黑则多为消化系统有病。

入摊成蛋皮,拿出切丝。锅内加油,先下姜丝、肉丝,然后加入红萝卜丝、豆芽、韭黄、韭菜花,调入盐、味精、白糖用中火炒到快熟时加入蛋丝,用水生粉勾芡,翻炒数下即成。

【功效】适用于感冒。

34 黄豆香菜汤

【原料】黄豆30克,香菜5克。

【做法】黄豆加水400毫升,煮至酥烂时,再将香菜洗净切段放入,稍煮片刻即可。每日1～2次。

【功效】适用于预防感冒。

35 白菜萝卜饮

【原料】白菜心250克,萝卜60克,红糖适量。

【做法】白菜心切段,萝卜切片,加清水400毫升,煮熟后,下红糖,继续煮至糖溶。每日1～2次。

【功效】适用于风热感冒、咳嗽、咽痛等症。

36 葛根葱白汤

【原料】葛根、葱白各15克。

【做法】葛根、葱白加水煎2次,每次用水250毫升,煎20分钟,两次混合。每日2次。

【功效】适用于感冒发热、头痛、颈项强直、口渴等症。

37 豆豉葛麻粥

【原料】淡豆豉15克,葛根10克,麻黄、荆芥、山栀各5克,生石膏50克,粳米100克,葱、姜、精盐、味精、麻油各适量。

【做法】淡豆豉、葛根、麻黄、荆芥、山栀、生石膏分别洗净,同放于砂锅中,注入清水1.2升,煎30分钟,去渣留汁于锅中,再将粳米淘净放入,慢熬成粥,下葱末、姜丝、精盐、味精、淋麻油,调匀。每日1～2次,空腹服。

【功效】适用于感冒高热不退、肺热喘息、头痛无汗、烦躁口渴等症。

三、支气管炎

1 紫苏叶生姜枣

【原料】 紫苏叶 30 克,生姜 20 克,红枣 20 枚。

【做法】 先将紫苏叶洗净,切碎,放入碗中;红枣、生姜分别洗净,生姜切成片,与紫苏叶同入砂锅,加水适量,先用大火煮沸,改以小火煨煮 40 分钟。待红枣熟烂呈花状时,取出红枣,过滤取汁,将滤汁和红枣回入砂锅,小火煮沸即成。每日 2 次。

【功效】 适用于风寒型急性支气管炎。

2 红萝卜面筋焖烧鸭

【原料】 烧鸭、面筋各 150 克,红萝卜 1 根,姜片 3 片,蒜蓉、葱花、胡椒粉、食盐、白糖、上汤、生粉、调

和油各适量。

【做法】 将烧鸭斩件;红萝卜切厚片;面筋切块待用。起锅爆香姜片、蒜蓉,放入红萝卜片、烧鸭件略炒,注入上汤,放入面筋块加入食盐、胡椒粉、白糖调味焖 5 分钟至收汁。勾芡上碟,撒入葱花即可。

【功效】 适用于慢性支气管炎。

3 酸菜焖火腩

【原料】 火腩 400 克,潮州酸菜、西兰花

女性经期莫捶腰! 捶打腰背会使盆腔充血更多, 血流速度加快, 导致月经过多, 经期延长, 不利于经期的身心健康。

各 100 克，姜片 5 片，葱段 3
段，蒜片、胡椒粉、料酒、生粉、
食盐、虾仁、上汤、花生油各
适量。

【做法】将火腩切件，待用；酸菜斜刀切
片，用清水漂洗，沥干水分。起
锅爆香姜片、葱段、蒜片，放入
火腩件，溅入料酒略炒；注入上
汤、老抽焖 8 分钟；放入酸菜
片，加少许食盐调味略焖，待收
汁，勾芡上碟。撒入胡椒粉，用
西兰花伴边即可。

【功效】适用于慢性支气管炎。

4 生姜桔梗红糖汤

【原料】鲜生姜 20 克，桔梗 20 克，红糖
30 克。

【做法】先将鲜生姜洗净，切片；桔梗洗
净，切段；桔梗段与生姜片同入
砂锅，加水适量，大火煮沸后，
改用小火煨煮 30 分钟，用洁净
纱布过滤，去渣留汁，加入红
糖，继续煨煮至沸即成。每日
2 次。

【功效】适用于风寒型急性支气管炎。

5 银花桑杏

【原料】金银花 30 克，桑叶 30 克，杏仁
15 克。

【做法】先将桑叶洗净，切碎，装入纱布
袋中，扎紧袋口，备用；杏仁拣
杂后，放入清水中浸泡片刻，与
洗净的金银花同入砂锅，放入
桑叶袋，加水适量。先用大火
煮沸，再以小火煎煮 30 分钟，
待杏仁熟烂，取出药袋，即成。
每日 2 次，代茶饮。

【功效】适用于风热型急性支气管炎。

6 冰糖蒸雪梨

【原料】大雪梨 1 只，冰糖 30 克。

【做法】先将雪梨外表面用温开水反

复刷洗干净,在靠梨柄 1/4 处横剖切开,将梨核挖去,成一空腔,将敲碎的冰糖纳入其中,用牙签将梨帽盖上并插紧,放入蒸碗中,隔水蒸熟即成。每日 2 次。

【功效】适用于燥热型急性支气管炎。

7 川贝炖雪梨

【原料】川贝母粉 5 克,雪梨 1 只。

【做法】先将雪梨外表面用温开水反复刷洗干净,去柄、核仁,将梨切成 1 厘米见方的雪梨丁,放入炖盅,加川贝母粉,再加水适量。先以大火煮沸,改用小火煨炖 30 分钟,即成。煨炖时也可加冰糖 20 克。每日 2 次。

【功效】适用于燥热型急性支气管炎。

8 百合甜杏粥

【原料】鲜百合 60 克,甜杏仁 15 克,粳米 100 克,绵白糖 20 克。

【做法】先将鲜百合拣杂后掰成瓣,洗净;甜杏仁、粳米淘净后,同入砂锅,加水适量。先用大火煮

沸,加鲜百合,改用小火煨煮 1 小时,待百合花烂、杏仁熟透、粥稠黏状时调入绵白糖,拌匀即成。每日 2 次。

【功效】适用于燥热型急性支气管炎。

9 银耳沙参粥

【原料】银耳 10 克,沙参 15 克,粳米 100 克,白糖适量。

【做法】先将粳米淘净,放于砂锅中,注入清水 1 升,大火烧开后,再将银耳、沙参洗净切碎放入,转用小火慢熬成粥,下白糖,调匀。

【功效】适用于阴虚燥热干咳、少痰、口渴等症。

10 罗汉果柿饼羹

【原料】罗汉果 1 个,柿饼 2 个,冰糖 30 克。

【做法】先将罗汉果洗净,晒干或烘干,研成粗粉;柿饼洗净后,切碎,放入大碗中,加适量温开水,研磨成蓉糊状,边加水边调入砂锅,用小火煨煮,加罗汉果粉及冰糖,小火煨煮 10

小贴士

五官可预警疾病:皮肤长癣要提防糖尿病;头发易断应检查甲状腺;眼皮浮肿预示肾脏有问题;耳垂出褶则需警惕动脉硬化!

分钟,拌匀成羹。每日 2 次。

【功效】适用于燥热型急性支气管炎。

11
海带焖排骨

【原料】排骨 250 克,海带、云耳各 50 克,红萝卜半根,青椒 1 个,姜片 2 片,葱段 4 段,八角、胡椒粉、香醋、食盐、橙汁、老抽、生粉、上汤各适量,花生油 10 克。

【做法】将排骨洗净,斩件;海带、云耳用温水浸发,洗去泥沙,切件;红萝卜切块;青椒切件。起锅煎香姜片、葱段、八角,放入排骨件,溅入老抽翻炒上色,注入上汤,放入海带件、红萝卜块、青椒件,加食盐、橙汁、香醋调

匀焖 30 分钟。用生粉勾芡,撒上胡椒粉即可。

【功效】适用于慢性支气管炎。

12
清明菜桔梗汤

【原料】鲜清明菜 100 克,桔梗 15 克。

【做法】鲜清明菜、桔梗加水 500 毫升煎至 250 毫升,去渣取汁。每日 2 次。

【功效】适用于气管炎咳嗽、痰难咯出、风寒型急性支气管炎等症。

13
蔗梨粥

【原料】甘蔗 1 千克,梨 4 只,粳米 100 克,冰糖适量。

【做法】甘蔗去皮,洗净劈开切段,加水煮 30 分钟,去渣留汁于锅中,再将梨去皮心,洗净切块。粳米淘净一起放入,慢熬至粥将成时,下冰糖,熬至糖溶成粥。每日 2～3 次,空腹服。

【功效】适用于热病后津伤口渴、肺燥干咳、心烦、胸闷、食欲不振、大便秘结等症。

段,食盐、老抽、沙爹酱、白糖、生粉、绍酒、上汤、花生油各适量。

【做法】 将光鸡洗净,斩件,飞水去除腥污,用绍酒腌8分钟;板栗煮熟,取出趁热剥去外壳及内膜;青、红椒切件。起锅爆香姜片、葱段,放入光鸡件,溅入老抽爆炒上色,再放入板栗仁,注入上汤,加食盐、白糖、沙爹酱调味炒匀,加盖煲15分钟至熟。旺火收汁,用生粉勾芡,上碟即可。

【功效】 适用于慢性支气管炎。

14
冰糖蒸金橘

【原料】 鲜金橘10个,清水200毫升,冰糖适量。

【做法】 鲜金橘剖开两半,去核,放于大瓷碗中,加入冰糖和清水,上锅隔水蒸熟。每日1~2次。

【功效】 适用于老年咳嗽、风寒咳嗽等症。

15
冰糖蒸川贝母

【原料】 冰糖30克,川贝母10克。

【做法】 冰糖、川贝母捣成细末,同放于大瓷碗中,加水200毫升,盖好,隔水蒸1小时。每日1~2次。

【功效】 适用于肺热咳嗽、干咳无痰等症。

16
栗子焖鸡

【原料】 光鸡半只,板栗200克,青椒、红椒各1个,姜片2片,葱段3

17
松子核桃膏

【原料】 松子仁、核桃仁各100克,蜂蜜

巧用生姜治脱发:将生姜切片,在发黄、脱落头发的发根处或斑秃处的地方反复擦拭,每天坚持2~3次,能刺激毛发生长。

500 克。

【做法】 松子仁、核桃仁各洗净沥干,共捣成膏状,装于瓷碗中,加入蜂蜜,调匀,隔水蒸熟。每日 2～3 次,每次 1～2 匙,温服。

【功效】 适用于肺燥咳嗽、病后体虚消瘦等症。

18 花生百合羹

【原料】 花生仁 50 克,百合 30 克,冰糖 20 克。

【做法】 花生仁、百合加水 400 毫升,小火炖 1 小时,至花生仁酥烂时,下冰糖 20 克溶化。每日 1～2 次。

【功效】 适用于秋燥久咳不止、声音嘶哑等症。

19 昙花猪瘦肉汤

【原料】 昙花 10 朵,猪瘦肉 200 克,姜、精盐、味精、麻油各适量。

【做法】 昙花放开水锅中汆一下,取出放冷水中稍浸,沥干;猪瘦肉切片,加清水 400 毫升,大火烧开,加入姜片和精盐,煮至熟透,下味精,淋麻油。每日 1～2 次。

【功效】 适用于肺热咳嗽、痰多等症。

20 橘枣饮

【原料】 橘 1 只,红枣 5 枚,竹叶 5 克,冰糖适量。

【做法】 橘去外皮,捣碎;红枣洗净去核;竹叶 5 克洗净沥干。加水 400 毫升,烧开后,加入冰糖,转用小火煮至糖溶。每日 1～2 次。

【功效】 适用于秋燥干咳、口鼻干燥、咽喉痒痛、大便燥结等症。

21 棠梨冰糖饮

【原料】 鲜棠梨 100 克,冰糖适量。

【做法】 鲜棠梨剖开去核,洗净,加水 400 毫升,煎至 250 毫升,去渣,加入冰糖,继续熬溶。每日 1～2 次。

【功效】 适用于肺热咳嗽、干咳少痰等症。

22 冰糖蒸草莓

【原料】鲜草莓60克,冰糖适量。

【做法】鲜草莓、冰糖同放于大瓷碗中,
加水300毫升,盖好,隔水蒸熟。
每日1～2次。

【功效】适用于干咳无痰、日久不愈
等症。

23 柚肉黄芪汤

【原料】柚肉100克,猪瘦肉片200克,黄
芪片10克,精盐、味精各适量。

【做法】柚肉、猪瘦肉片、黄芪片加水500
毫升,煮至熟透,拣出黄芪,下精
盐、味精,调匀。每日2次。

【功效】适用于肺燥咳嗽。

24 一口香豆腐

【原料】嫩豆腐1块,姜片2片,葱段、
生粉、红辣椒、食盐、泰汁酱、上
汤、花生油、橙汁各适量。

【做法】将豆腐切成厚片,用盐水浸泡

待用,红椒切片。起锅爆香嫩
豆腐、姜片、葱段、红辣椒,注入
生粉、食盐、泰汁酱、橙汁、上
汤、花生油煮开加食盐调味。
放入豆腐略煮,勾芡,加包尾油
即可。

【功效】适用于急性支气管炎。

25 甘蔗四汁饮

【原料】甘蔗汁50毫升,梨汁30毫升,荸
荠汁、莲藕汁各15毫升。

【做法】甘蔗汁、梨汁、荸荠汁、莲藕汁同
放于大瓷碗中,盖好,隔水蒸熟。
每日1～2次。

【功效】适用于秋燥干咳少痰、咽干、大
便燥结等症。

小贴士

老人吃水果有讲究:便秘者不宜多吃柿子;胃酸者少吃李子、柠檬;肝
病者多吃富含维C的水果;常腹泻者可适当吃些苹果。

26

兰豆炒鲜鱿

【原料】鲜鱿 2 条,兰豆 100 克,蒜蓉、姜丝、葱白、盐、绍酒、食用油各适量。

【做法】鲜鱿洗净切圈。起锅爆香蒜蓉、姜丝、葱白。加入兰豆、鲜鱿炒香,喷入绍酒、盐调味略炒两分钟即可。

【功效】适用于慢性支气管炎。

27

甘蔗鲜梨饮

【原料】甘蔗 500 克,梨 2 只。

【做法】甘蔗削去皮,洗净切成小段,梨去皮心,剖成 4 块,加水 600 毫升,煮 30 分钟,去渣取汁。当茶饮。

【功效】适用于肺热干咳、心烦、胸闷、食欲不振、大便秘结等症。

28

剑花猪蹄红枣汤

【原料】剑花干品 30 克,猪蹄 1 只,红枣 10 枚,姜、精盐、味精各适量。

【做法】剑花干品、猪蹄、红枣加清水 800 毫升,大火烧开,加入姜片和精盐,转用小火炖至酥烂,下味精,调匀。每日 2 次。

【功效】适用于肺燥干咳、血小板减少性紫癜等症。

29

川贝蒸梨

【原料】大鸭梨 1 个,川贝母粉 5 克,冰糖适量。

【做法】大鸭梨洗净,从蒂处切开,挖去梨核,放入川贝母粉和冰糖,盖好(梨蒂盖)放于碗中,加水,隔水蒸熟。每日 1 个。

【功效】适用于干咳少痰、咽干等症。

30
荸荠香菇酿

【原料】荸荠 500 克,香菇 150 克,冬笋 50 克,猪瘦肉 150 克,葱 15 克,虾仁 15 克,酱油、精盐、味精各适量。

【做法】荸荠洗净,削皮,用小刀从茎根处挖空,壁厚 0.2 厘米;香菇用适量水发,去柄切碎;冬笋、猪瘦肉、葱、虾仁分别洗净,共捣成蓉,装于碗中,加入精盐、味精,拌匀,制成馅子,酿入空心的荸荠中。另选与荸荠大小相同的香菇,用冷水略润,剪去柄,紧紧盖住荸荠的洞口处。锅置旺火上,下油,烧至七成热,加水 500 毫升,烧开后,放入荸荠酿,转用小火煮至馅熟,铲起沥干水分,回锅勾芡,加入酱油、葱、调好味。单食或用于佐餐,每日 2～3 次。

【功效】适用于肝热目赤、肺热咳嗽、口干咽痛、消化不良、大便秘结、小便不利、高血压等症。

31
白饭鱼炒蛋

【原料】白饭鱼 100 克,鸡蛋 3 个,盐水、生粉、花生油各适量。

【做法】先将白饭鱼放入沸水中略烫并沥干水分。将白饭鱼、盐水、生粉加入蛋浆中拌匀。起锅用文火将蛋浆炒匀至熟即可。

【功效】适用于慢性支气管炎。

32
茼蒿蜂蜜饮

【原料】茼蒿 250 克,蜂蜜适量。

【做法】茼蒿加水 400 毫升,小火煮熟,取汁,调入蜂蜜。每日 2 次服。

爱牙小贴士:饭前刷牙利于护牙! 牙垢与食物中的糖反应形成酸性物质,腐蚀牙齿,饭前刷牙可将牙垢清除从而保护牙齿。

食 疗

【功效】适用于肺热咳嗽、痰黏稠、不易咯出、便秘等症。

33 冬瓜猪肺汤

【原料】冬瓜500克,猪肺250克,姜、精盐、味精、麻油各适量。

【做法】冬瓜洗净,连皮切成小方块;猪肺挑除血丝气泡,洗净切块;注入清水600毫升,大火烧开,撇去浮沫,加入姜片,转小火炖至酥烂。下精盐、味精,淋麻油。每日2～3次。

【功效】适用于肺热咳嗽、小儿疮疖、疔疮发热、口渴、小便短赤等症。

34 山茶红枣汤

【原料】山茶花10朵,红花15克,红枣120克,白芨30克。

【做法】山茶花、红花、红枣、白芨同煎2次,每次用水400毫升,煎30分钟,两次混合,去渣留枣和汁。每日2次。

【功效】适用于肺热咳嗽、吐血等症。

35 蚌花银梨汤

【原料】鲜蚌花50克,银耳10克,梨1个,冰糖适量。

【做法】鲜蚌花、银耳、梨加水500毫升,大火烧开,加入冰糖,用小火炖30分钟。每日2次。

【功效】适用于肺热燥咳。

36 百合冬瓜汤

【原料】百合50克,冬瓜100克,鸡蛋1个,猪油、精盐、味精各适量。

【做法】百合、冬瓜加水400毫升,煮熟后,再将鸡蛋清放入打散,下化猪油、精盐和味精,调匀。每日1～2次。

【功效】适用于肺热咳嗽、大便秘结、小便短赤等症。

37 冬瓜银耳汤

【原料】冬瓜250克,银耳10克,精盐、味精、麻油各适量。

【做法】冬瓜削去外皮,洗净切片;银耳水发,去蒂,洗净撕碎;加水400毫升,大火烧开,小火炖至酥烂。下精盐、味精、淋麻油。每日2次。

【功效】适用于肺热咳嗽、烦渴音哑、小便不利、浮肿、便秘等症。

38 昙花蜂蜜饮

【原料】鲜昙花5朵,蜂蜜适量。

【做法】鲜昙花加水200毫升煎至100毫升,加入蜂蜜,调匀。食花喝汤,1次服完,每日2次。

【功效】适用于肺热咳嗽、痰中带血等症。

39 芦笋汤

【原料】鲜芦笋50克。

【做法】鲜芦笋洗净切段,加入清水400毫升,煎至150毫升。连渣带汤1次服完,每日2次。

【功效】适用于肺热咳嗽、心烦口渴等症。

40 鲜果菠萝羹

【原料】菠萝肉100克,西红柿1个,橙肉、苹果肉各50克,冷开水1碗,白糖、柠檬汁、茨汁各适量。

【做法】先将材料用搅拌机打成浆。加入白糖、柠檬汁略煮,推入茨汁搅匀。放凉后冰冻即可。

【功效】适用于支气管炎。

41 牛腩粥

【原料】大米100克,牛腩150克,葱丝、姜丝各少许,姜片3片,香包1个,盐、花生油各适量。

【做法】牛腩用姜水飞水至半熟、去牛油,切小件待用。将米同盐、花生油、姜片拌匀,倒入沸水大火煮5分钟。加入牛腩、香包煲1小时至软绵,洒上葱丝、姜丝即可。

【功效】适用于支气管炎。

42
猪肺梨贝汤

【原料】猪肺250克,川贝10克,雪梨2个,冰糖适量。

【做法】猪肺洗净切块;川贝、雪梨削皮去心,洗净切块;注入清水500毫升,烧开后,撇去浮沫,加入冰糖,小火炖至酥烂。每日1~2次。

【功效】适用于身体虚弱、急性气管炎、咳嗽、百日咳等症。

43
沙虫桔梗杏仁汤

【原料】干沙虫15克,桔梗、杏仁各10克。

【做法】干沙虫、桔梗、杏仁洗净,同放于砂锅中,水煎2次,每次用水250毫升,煎30分钟,两次混合,去渣取汁。每日2次。

【功效】适用于肺热咳嗽、痰多、气喘等症。

44
莲肉百合麦冬汤

【原料】百合50克,麦冬20克,莲肉50克,白糖适量。

【做法】百合、麦冬洗净,水煎2次,每次用水400毫升,煎30分钟,两次混合,去渣,再将莲肉洗净放入,煮至酥烂时,加入白糖,煮至糖溶。每日1~2次。

【功效】适用于热病后期、余热未清、心烦口渴、心悸失眠、肺热咳嗽、痰中带血等症。

45 罗汉果橄榄 茶

【原料】罗汉果1个,橄榄4枚。

【做法】罗汉果、橄榄装大茶盅内,注入滚开水300毫升,盖好,浸30分钟。当茶饮。

【功效】适用于肺热咳嗽、咽喉疼痛等症。

46 罗汉果蒸川 贝

【原料】罗汉果1个,川贝母10克。

【做法】罗汉果、川贝母同放入瓷碗中,加水200毫升,盖好,隔水蒸熟。每日1～2次。

【功效】适用于肺热咳嗽、气喘、痰多等症。

47 火腿青口 粥

【原料】大米50克,火腿30克,青口5个,姜丝、葱白、盐、麻油、胡椒粉、花生油各适量。

【做法】青口飞水、去壳、洗净;火腿切

薄片。火腿用沸火煲10分钟,放入米后再煲30分钟。将青口放入粥中,略煮5分钟,洒上姜丝、葱白、调料调味即可。

【功效】适用于慢性气管炎。

48 糖汁蜜 橘

【原料】蜜橘200克,白糖适量。

【做法】蜜橘洗净,剥皮分瓣去核,放于盘中。橘皮切成丝,放于砂锅中,加入白糖及适量清水,烧开后,盖焖出味,拣出橘皮丝,将糖汁浇在橘瓣上。每日1～2次。

【功效】适用于肺热咳嗽、痰多、食欲不振等症。

49 棠梨萝卜汁

【原料】 鲜棠梨 100 克，萝卜汁 50 毫升。

【做法】 鲜棠梨剖开去核，洗净，加水 400 毫升，煎至 250 毫升，去渣，加入冰糖，加热溶化后，对入萝卜汁，调匀。每日 1～2 次。

【功效】 适用于肺热咳嗽、食积腹胀等症。

50 荸荠茅根

【原料】 荸荠 250 克，茅根 100 克，甘草 15 克，红糖适量。

【做法】 荸荠洗净，削去外皮，切片；茅根、甘草分别洗净切片；同放于锅中，加水 1 升，中火煎 30 分钟，去渣留汁于锅中，加入红糖，加热使糖溶化。代茶饮，1 天服完。

【功效】 适用于肺热咳嗽、痰多、大便秘结、小便短赤等症。

51 川贝蒸梨

【原料】 大鸭梨 1 个，川贝粉 5 克，冰糖适量。

【做法】 大鸭梨洗净，从蒂处切开，挖去梨核，放入川贝粉和冰糖，盖好梨蒂盖，放于碗中，加水 100 毫升，隔水蒸熟。每日 1 个。

【功效】 适用于肺热咳嗽、痰稠、咽干、便结等症。

52 羊奶果蒸冰糖

【原料】 鲜羊奶果 100 克，冰糖适量。

【做法】 鲜羊奶果洗净，放于大瓷碗中，加入冰糖和清水 300 毫升，盖好，隔水蒸熟。每日 1～2 次。

【功效】 适用于肺热咳嗽、痰多等症。

53 橘皮粥

【原料】 鲜橘皮 30 克，粳米 100 克。

【做法】 先将鲜橘皮反复洗净外表皮，

入锅,加水煎煮 15 分钟,去渣取汁。粳米淘净后,放入砂锅,加入鲜橘皮汁,加水适量,先用大火煮沸,改用小火煨煮成稠粥。每日 2 次。

【功效】适用于慢性支气管炎。

54 无花果炖冰糖

【原料】无花果 250 克,冰糖适量。

【做法】无花果洗净切片,加水 300 毫升,烧开后,加入冰糖,小火煮至糖溶。每日 2 次服。

【功效】适用于肺热咳嗽、声音嘶哑、毛发不荣、大便干燥、小便短少等症。

55 枇杷芦根汤

【原料】鲜枇杷 100 克,鲜芦根 50 克。

【做法】鲜枇杷去皮留核;鲜芦根洗净切段;加水 500 毫升,煎至 250 毫升,去渣取汁。每日 2 次。

【功效】适用于肺热咳嗽、心烦口渴等症。

56 蒸三丝

【原料】白萝卜 100 克,水发木耳 50 克,红萝卜 50 克,花生油 50 克,盐 5 克,味精 5 克,生抽王 10 克。

【做法】白萝卜去皮切细丝;水发木耳去蒂切丝;红萝卜去皮切细丝。烧锅加水,待水开时放入白萝卜丝、木耳丝、红萝卜丝煮片刻,捞起用水冲洗。然后把白萝卜丝、红萝卜丝、木耳丝调入盐、味精、干生粉拌匀,摆在碟内,放入蒸笼,用中火蒸 5 分钟拿出,淋上热油、生抽王即成。

【功效】适用于急慢性气管炎。

小贴士

老年人健身常倒走! 倒走符合人体生理曲度,可松弛颈部、腰部的紧张状态,增强平衡能力的同时,还能加强腰肌的锻炼。

57 冬瓜豆泡

【原料】油豆泡 150 克，冬瓜 50 克，红萝卜 10 克，韭菜花 10 克，花生油 10 克，盐 5 克，味精 5 克，白糖 2 克，水生粉适量，麻油 5 克。

【做法】油豆泡挖空一面；冬瓜去皮去籽切圆球；红萝卜去皮切粒；韭菜花切粒。用开水烫熟冬瓜球，纳入油豆泡内，放入蒸笼蒸 8 分钟至熟透拿出。烧锅下油，注入清汤，调入盐、味精、白糖烧开，放红萝卜米、韭菜花粒，用水生粉勾芡，淋上麻油，浇在蒸好的油豆泡上即成。

【功效】适用于急性支气管炎。

58 萝卜子

【原料】萝卜子 20 克。

【做法】将萝卜子淘净，晾干，放入有盖杯中，用沸水冲泡，加盖，闷 15 分钟即可饮用。每日 3～5 次。

【功效】适用于慢性支气管炎。

59 沙参麦冬蒸鸡

【原料】沙参 20 克，麦冬 20 克，母鸡 1 只，料酒、姜片、葱段、盐各适量。

【做法】沙参洗净，切片；麦冬洗净；将母鸡洗净，沙参、麦冬纳入鸡腹，用细线扎一下，放入压力锅中，加水适量，加料酒、姜片、葱段、精盐等调味品，蒸煮 30 分钟至鸡肉酥烂即成。佐餐当菜，沙参、麦冬也可同时嚼服，当日吃完。

【功效】适用于气阴两虚型慢性支气管炎。

60

猪胆汁蜜饮

【原料】新鲜猪胆2个,蜂蜜10克。

【做法】先将猪胆用凉开水清洗干净,再将猪胆切开取汁,装入瓶中备用。每次取胆汁3克,与蜂蜜5克拌和均匀,每日2次,温服。

【功效】适用于痰热阻肺型慢性支气管炎。

61

麻黄蒸萝卜

【原料】白萝卜250克,麻黄5克,蜂蜜30克。

【做法】白萝卜洗净,切片,放入大瓷碗内,倒入蜂蜜及麻黄,隔水蒸30分钟即成。每日1次,趁热饮服。

【功效】适用于风寒犯肺型慢性支气管炎。

62

小瓜炒肉片

【原料】云南小瓜150克,猪瘦肉80克,红椒1个,生姜10克,鸡腿菇10克,花生油20克,盐5克,味精6克,白糖3克,鸡精5克,水生粉适量,麻油1克。

【做法】云南小瓜去籽切片;瘦肉切片;红椒切片;生姜去皮切片;鸡腿菇切片。瘦肉片加入少许盐、味精、水生粉腌过,烧锅下油放入肉片,炒至八成熟,倒出待用。烧锅下油,放入姜片、小瓜片、鸡腿菇、红椒片,炒至断生时,调入剩下的盐、味精、白糖、鸡精,加入肉片炒匀,用水生粉勾芡,淋上麻油,出锅入碟即成。

【功效】适用于支气管炎。

小贴士

倒走注意事项:开始时速度要慢,步子要小,并且尽量走直道,时间长了可增加难度,如弯道倒走、上坡倒行、草地倒行等。

食疗

63 苏子生姜枣

【原料】 紫苏子 15 克,生姜 10 克,红枣 50 克。

【做法】 生姜洗净,切片,与洗净的紫苏子、红枣同入砂锅,加水适量,先用大火煮沸,改用小火煨煮至汁尽,取出红枣即成。每日 2 次。

【功效】 适用于风寒犯肺型慢性支气管炎。

64 沙参猪肺汤

【原料】 沙参、玉竹各 15 克,猪肺 1 只,精盐、味精、生姜各适量。

【做法】 将沙参、玉竹洗净,晾干,切片后用洁净纱布袋装入,扎紧袋口;猪肺放入清水中漂洗 1 小时,洗净后取出,切成小块,放入砂锅,加水适量,先用大火煮沸,撇去浮沫,加沙参、玉竹袋,改用小火煨煮至猪肺熟烂,加精盐、味精、生姜末,拌和均匀即成。佐餐当菜,当日吃完。

【功效】 适用于阴虚燥热型慢性支气

管炎。

65 百合杏仁羹

【原料】 百合 100 克,杏仁 10 克,蜂蜜 30 克。

【做法】 将百合瓣开,拣杂后洗净,与杏仁同入砂锅,加水适量,中火煨煮至酥烂,离火加入蜂蜜,调和成羹即成。每日 2 次。

【功效】 适用于阴虚燥热型慢性支气管炎。

66 冰糖燕窝粥

【原料】 燕窝 10 克,粳米 100 克,冰糖 20 克。

【做法】 先将燕窝放入温开水中浸泡片刻,待燕窝浸软后,摘去绒毛、污物,再投入沸水中涨发,备用;粳米淘净后,与涨发的燕窝及水同入砂锅,先用大火煮沸,改用小火煨煮成稠粥,调入冰糖,溶化后即成。每日 2 次。

【功效】 适用于阴虚燥热型慢性支气管炎。

67

三汁饮

【原料】 生萝卜 500 克,生梨 300 克,生荸荠 200 克。

【做法】 将生萝卜、生梨、生荸荠分别洗净,连皮切碎,放入榨汁机中,榨取汁,用洁净纱布过滤,即成。每日 3 次。

【功效】 适用于痰热阻肺型慢性支气管炎。

68

玉树罗汉

【原料】 菜心 100 克,面筋 50 克,鸡腿菇 50 克,红萝卜 15 克,花生油 20 克,盐 5 克,味精 5 克,白糖 1 克,水生粉适量,麻油少许,蚝油 10 克。

【做法】 菜心去除老叶;面筋切片;鸡腿菇切片;红萝卜去皮切片。烧锅加水,待水开时下少许盐,加入鸡腿菇、红萝卜煮片刻,捞起沥干水分,烧锅下少许油,把菜心炒熟摆入碟内。另烧锅下少许油,放入面筋,红萝卜片、鸡腿菇片翻炒几次,调入盐、味

精、白糖、蚝油、清汤少许烧透,用水生粉勾芡,将麻油淋在菜心上即成。

【功效】 适用于慢性支气管炎。

69

蜜炙核仁酥

【原料】 核桃仁、蜂蜜各 500 克,麻油 250 克,核桃粉 10 克。

【做法】 将麻油烧至八成热,入核桃炸至酥黄,改用小火,再入蜂蜜搅拌,使之均匀,随后入核桃粉拌匀,离火放凉装瓶。每日 2 次,每次 20 克,蒸热服。

【功效】 适用于老年人慢性支气管炎。

家庭保健方案:当血压下降造成头晕时,别躺下也不要闭眼,坐下按摩太阳穴。 中等浓度的热咖啡或浓甜红茶也可缓解症状。

70

炸金丝蛋

【原料】鹌鹑蛋20个,洋葱10克,虾片少许,椒盐8克,植物油300克(实耗30克)。

【做法】鹌鹑蛋用盐水煮熟,捞起去壳待用;洋葱切成小粒。烧锅下油,待油温120℃时放入鹌鹑蛋炸成虎皮形状捞起,另外把虾片炸好。锅内留油,放入洋葱米焖炒至香,加入鹌鹑蛋、椒盐翻炒数下,摆入碟内,再把炸好的虾片围边即成。

【功效】适用于支气管哮喘。

71

芝麻姜汁蒸蜜

【原料】黑芝麻250克,姜汁100毫升,蜂蜜、冰糖各120克。

【做法】黑芝麻炒熟研末,加入姜汁、蜂蜜、冰糖,拌匀,放于大瓷碗中,盖好,隔水蒸1小时。每日2次,每次20克,开水送服。

【功效】适用于慢性支气管炎。

72

莲百猪瘦肉汤

【原料】莲肉、百合各30克,猪瘦肉200克,精盐、味精各适量。

【做法】莲肉、百合分别洗净沥干;猪瘦肉洗净切片,加水500毫升,大火烧开后,转用小火煮至酥烂,下精盐、味精调匀。每日1剂,连服3～5天。

【功效】适用于慢性支气管炎。

73

杏仁鲫鱼汤

【原料】鲫鱼1条,甜杏仁20克,红糖

适量。

【做法】鲫鱼刮鳞去鳃剖腹去内脏,洗净,加水 500 毫升,大火烧开后,转用小火煮至酥烂时,拣出鱼渣,加入甜杏仁和红糖,加热煮 20 分钟。每日 1～2 次。

【功效】适用于咳嗽多痰、慢性支气管炎等症。

74

杏百糯米 粥

【原料】糯米 100 克,甜杏仁 30 克,百合 30 克。

【做法】糯米淘净,加水 1 升,大火烧开后,再将甜杏仁去皮,百合洗净和冰糖一起放入,转用小火慢熬成粥。每日 2 次,空腹服。

【功效】适用于慢性支气管炎咳嗽、气阴不足、咳嗽有痰等症。

75

蜜饯橘 皮

【原料】鲜橘皮 500 克,糖水、柠檬酸各适量。

【做法】鲜橘皮用 5% 的盐水煮两次,每次 15 分钟。沥干,除去苦味,然后漂洗 1 小时,取出切成条,

再放入糖水中熬煮 40 分钟,煮至橘皮变韧发软时,拌匀柠檬酸,冷却后即成。随意食。

【功效】适用于慢性气管炎、咳嗽痰多等症。

76

冰糖蒸甜 橙

【原料】甜橙 1 个,冰糖适量。

【做法】甜橙洗净,带皮切成 4 半,放于大瓷碗中,加入冰糖和清水 200 毫升,盖好,隔水蒸熟。每日 2 次,连皮食橙,喝汤。

【功效】适用于慢性支气管炎。

77

雪梨三鲜 汁

【原料】雪梨 3 个,萝卜 250 克,莲藕 250 克,蜂蜜适量。

【做法】雪梨去皮核,洗净;萝卜洗净切碎;莲藕洗净切片。共捣碎绞汁,加入蜂蜜,调匀。每日 2～3 次。

【功效】适用于慢性气管炎。

治疗感冒有三忌:一忌大量服药,会导致药物中毒;二忌立即服药,长期易引起抗药性;三忌剧烈运动,会导致抵抗力更弱。

78

荸荠百梨汤

【原料】荸荠100克,百合20克,雪梨2只,冰糖适量。

【做法】荸荠去皮洗净捣烂,百合洗净,雪梨去皮核,洗净切碎,加水500毫升,大火烧开后,加入冰糖,转用小火再煮10分钟。每日1～2次。

【功效】适用于慢性支气管炎、咳嗽、咽干、大便燥结等症。

79

素衣红影

【原料】嫩豆腐2块,番茄2个,鲜香菇1朵,葱花、蒜蓉各适量,食盐5克,上汤500克,花雕酒、花生油各10克。

【做法】将嫩豆腐切块,用开水略烫;番茄去蒂,切块;鲜香菇去蒂,切细丝。起锅爆香蒜蓉,放入香菇丝,淋入花雕酒略炒,注入上汤,待烧沸放入豆腐块、番茄块煮2分钟,加食盐调味。盛入汤碗撒入葱花即可。

【功效】适用于急性支气管哮喘。

80

蜜饯柚肉

【原料】柚肉500克,蜂蜜250克,白糖适量。

【做法】柚肉切碎,放入瓷罐中,加入白糖,严封罐口,浸泡12小时。次日将柚肉倒入铝锅中,小火熬至浓稠时,下蜂蜜拌匀,晾冷后,装于瓷罐中。每日3次,每次5～10克,温服。

【功效】适用于慢性支气管炎、咳嗽痰多、胸闷食少等症。

81

慈姑豆浆饮

【原料】生慈姑100克,淡豆浆250

毫升。

【做法】生慈姑切丝，加淡豆浆中火煮熟。每日清晨空腹服。

【功效】适用于慢性气管炎。

82
苦菜红枣 膏

【原料】苦菜500克，红枣30枚。

【做法】苦菜洗净切碎，加水600毫升，小火熬至苦菜酥烂，去渣，加入红枣，继续加热，熬至红枣酥烂，再去渣过滤留汁，浓缩成膏。每日2次。

【功效】适用于慢性气管炎。

83
蜂蜜蒸萝卜

【原料】大萝卜1个，蜂蜜100克。

【做法】大萝卜洗净去外皮，挖空萝卜中心的肉，装入蜂蜜，放入大瓷碗中，盖好，隔水蒸熟。每日1～2次。

【功效】适用于慢性支气管炎、肺结核咳嗽咽干、痰中带血等症。

84
核杏蜜 膏

【原料】核桃仁、甜杏仁、沙参、麦冬、天冬、天花粉、枇杷叶各250克，川贝母粉60克，蜂蜜1千克，冰糖60克。

【做法】核桃仁、甜杏仁、沙参、麦冬、天冬、天花粉、枇杷叶分别洗净；橘饼捣碎。同煎2次，每次用水2升，煎40分钟，两次混合，去渣留汁于锅中，加入川贝母粉、蜂蜜和冰糖，慢熬浓缩成膏。每日3次，每次1～2匙，温服。

【功效】适用于慢性支气管炎、久咳不愈等症。

85
松 黄 蜜

【原料】松黄100克，蜂蜜500克中，乳酶葡素6粒。

【做法】松黄浸于蜂蜜中，充分搅拌，放于暗处，时时摇动，于3日后加入乳酶葡素，1个月即酿成松黄蜜。每日2次，温服。

【功效】适用于老年人慢性支气管炎、

小贴士

有车族当防脂肪肝——运动减少，脂肪消耗不掉易沉积于肝脏；腰椎病——开车时上身重量压在腰椎，容易导致腰肌劳损。

晚期癌症等症。

86
海带姜糖饮

【原料】海带 250 克,生姜 50 克,红糖适量。

【做法】海带洗净切丝;生姜洗净拍裂。加水 500 毫升,小火煎取浓汁,下红糖,煮至溶化。每日 2～3 次。

【功效】适用于慢性支气管炎。

87
枇 杷 膏

【原料】鲜枇杷 1 千克,枇杷叶 200 克,枇杷核 200 克,蜂蜜适量。

【做法】鲜枇杷洗净去皮,枇杷叶刷去毛,洗净切丝,枇杷核洗净捣碎同煎 2 次,每次用水 1.2 升,煎 30 分钟,两次混合,去渣留汁于锅中,继续加热,下蜂蜜,慢熬浓缩成膏。用瓷瓶收藏。每日 3 次,每次 1～2 匙,温服。

【功效】适用于支气管炎咳嗽、肺结核咳嗽等症。

88
山药半夏粥

【原料】半夏 20 克,粳米 100 克,鲜山药 100 克,精盐、味精、麻油各适量。

【做法】半夏水煎 2 次,每次用水 600 毫升,煎 30 分钟,两次混合,去渣留汁,加入粳米,用大火烧开;再将鲜山药去皮,切成小丁点放入,转用小火慢熬成粥,下精盐、味精,淋麻油,调匀。每日 2 次,空腹服。

【功效】适用于慢性支气管炎咳喘。

89

糖渍花生糊

【原料】新鲜花生仁 500 克,白糖 150 克,蜂蜜 50 克。

【做法】新鲜花生仁洗净,沥干,打碎,倒入盆内,加入白糖和蜂蜜,捣成花生糊,装瓶,盖紧,腌渍 10 天后即可。每日 3 次,每次 10～20 克,食后饮开水或米汤半碗。

【功效】适用于慢性支气管炎。

四、高血压

1 荸荠绿豆饮 汤

【原料】荸荠 200 个，绿豆 50 克，红糖适量。

【做法】荸荠洗净，去皮切片，绿豆洗净，加水 400 毫升，先用大火烧开后加红糖，转用小火煮至绿豆酥烂。每日 1～2 次。

【功效】适用于高血压、眩晕耳鸣、头痛面赤、急躁易怒、口苦目赤、尿黄、便秘等症。

2 莲藕蚝豉焖火腩

【原料】烧腩 200 克，蚝豉 100 克，干冬菇 3 个，蒜子 3 粒，姜片、葱段、盐、白糖、老抽、绍酒、蚝油、胡椒粉、猪油各适量。

【做法】用猪油爆香蒜子、姜片，放入蚝豉、莲藕、烧腩、绍酒之后再入

冬菇、调料，加入猪油拌匀。中火焖 15～20 分钟，至莲藕软身即可。

【功效】适用于高血压。

3 山楂麦冬 饮

【原料】山楂、麦冬各 20 克。

【做法】山楂、麦冬加水 500 毫升，煎至 250 毫升。每日 2 次服。

【功效】适用于动脉硬化性高血压、暑热烦渴、咽干舌燥、肉食积滞不

小贴士

秋天不宜洗澡过多！ 秋季皮肤缺少水分，洗澡过多会把人体表面起保护作用的油脂洗掉，皮肤易感染细菌，以三到四天一次为佳！

化、胃部不适等症。

4 芹菜香干粥

【原料】白粥 1 大碗,香干 30 克,芹菜、胡萝卜各 20 克,盐、麻油、胡椒粉、花生油各适量。

【做法】芹菜、香干切条,胡萝卜切细条;起锅爆香芹菜、香干待用。把胡萝卜条洒入白粥同煲 10 分钟。把香干、芹菜加调味料略煲,加入调味料即可。

【功效】适用于高血压。

5 凉薯葛根饮

【原料】凉薯、生葛根各 250 克。

【做法】凉薯、生葛根去皮洗净切成薄片,加水 600 毫升,煮至熟透。每日 2～3 次。

【功效】适用于高血压、感冒发热、头痛烦渴、下痢、饮酒过量、烦躁、口渴、肩背屈伸不便等症。

6 枣菊汤

【原料】红枣 50 克,菊花 30 克。

【功效】红枣、菊花水煎 2 次,每次用水 300 毫升,煎 20 分钟,两次混合,取汁。当茶饮。

【功效】适用于高血压、血清胆固醇过高等症。

7 红枣芹菜根汤

【原料】红枣、芹菜根各 50 克。

【做法】红枣去核,芹菜根加水 500 毫升,煎至 300 毫升。每日

1～2次。

【功效】适用于高血压、血清胆固醇升高、冠心病等症。

8
凉薯汁

【原料】凉薯500克。

【做法】凉薯去皮洗净，捣烂绞汁。每日2～3次，每次30毫升。

【功效】适用于高血压、头昏目赤、颜面潮红、便秘等症。

9
醋浸花生仁

【原料】花生仁100克，米醋300毫升。

【做法】花生仁浸于米醋中，5日后食用。每日清晨10～15粒。

【功效】适用于高血压病。

10
荸荠灵芝饮

【原料】灵芝30克，荸荠300克，白糖适量。

【做法】灵芝去柄切碎，水煎2次，每次用水300毫升，煎30分钟，两次混合，去渣留汁于锅中，再将荸荠去皮，洗净切片放入，继续加热煮熟，下白糖，调溶。每日1～2次。

【功效】适用于高血压、头晕脑胀、夜卧不宁等症。

11
白菜香菇

【原料】白菜200克，香菇20克，精盐适量。

【做法】白菜洗净切段；香菇去柄切片。炒锅置旺火上，下油，烧至八成热，倒入大白菜和香菇，翻炒几下，加盐，炒至熟。单食或佐餐。

【功效】适用于脑血管病、高血压、慢性肾炎、咽干口渴、大小便不畅等症。

12
紫菜决明饮

【原料】紫菜50克，决明子20克。

【做法】紫菜洗净切碎，将决明子洗净沥干，水煎2次，每次用水500毫升，煎30分钟，去渣取汁。每日2～3次。

小贴士

健康忌然：疲劳时硬熬会使思维迟钝；大便硬憋会诱发直肠癌；头昏思睡时硬撑会导致神经衰弱；饥饿时硬熬易引起溃疡病。

【功效】适用于高血压、头昏脑胀、易兴奋等症。

13 咸柠檬海鲜粥

【原料】白粥1大碗,咸柠檬1个,大虾2只,蟹柳2条,鲜鱿件适量,柠檬片、姜丝、葱丝、盐、麻油、胡椒粉各适量。

【做法】大虾飞水,去壳留头;蟹柳切小段;咸柠檬切片。将白粥加热,放入大虾肉、蟹柳、鲜鱿件小火煲10分钟。放入调料,洒上柠檬片、葱丝、姜丝,佐咸柠檬吃。

【功效】适用于高血压。

14 发菜皮蛋粥

【原料】粳米100克,猪瘦肉50克,番茄20克,发菜15克,皮蛋2个,姜、精盐、味精、麻油各适量。

【做法】粳米淘净,放于砂锅中,注入清水1升,大火烧开后,加入猪瘦肉蓉,番茄片和姜丝,转用小火慢熬至粥将成时,再加发菜,放皮蛋,精盐,略熬片刻,粥成时下味精,淋麻油。每日2次,空腹服。

【功效】适用于高血压。

15 芹菜香菇丝

【原料】芹菜200克,水发香菇100克,精盐、味精、麻油、水淀粉各适量。

【做法】芹菜切段;水发香菇切丝,置旺火上下油起锅,放入芹菜,煸炒几下,再放香菇丝,加盐,炒匀,注入清汤,转用小火焖片刻,下味精,淋麻油,用水淀粉勾芡。单食或佐餐。

【功效】适用于高血压、高血脂症、神经衰弱等症。

16 杞菜糯米粥

【原料】枸杞菜100克,糯米50克,白糖适量。

【做法】枸杞菜加水500毫升,煮至300毫升,去渣留汁于锅中,再将糯米放入,注入清水300毫升,小火慢熬成粥,下白糖,调匀。每日1～2次,空腹服。

【功效】适用于肝肾亏虚、视力减退、动脉硬化、高血压等症。

17 牛骨粉芹菜饮

【原料】芹菜50克,牛骨粉5克。

【做法】芹菜加水煮熟,去渣取汁,冲牛骨粉食。每日2次。

【功效】适用于高血压。

18 苹果西芹茼蒿汁

【原料】苹果200克,西芹、茼蒿各100克。

【做法】苹果、西芹、茼蒿共绞汁。每日1～2次。

【功效】适用于高血压、头昏脑胀、暑热疲倦、口角炎、口腔炎等症。

19 海蜇糯米粥

【原料】海蜇皮100克,糯米100克,白糖适量。

【做法】海蜇皮漂洗干净,切成小块,糯米淘净,同放于砂锅中,注入清水1升,大火烧开后,小火慢熬成粥,下白糖,调溶。每日2次空腹服。

【功效】适用于高血压、肺热咳嗽、痰浓黄稠、大便燥结等症。

20 蘑菇汤

【原料】蘑菇300克。

【做法】蘑菇加清水1.5升,小火煮2小时。每日2～3次服。

【功效】适用于高血压、高血脂、动脉硬化等症。

鸡蛋生吃坏处多! 生鸡蛋的蛋白质结构致密,不易被消化吸收,有些蛋还带有病菌和寄生虫卵,易引起腹泻和寄生虫病。

21

扣素肉

【原料】冬瓜 600 克,生姜 10 克,冬菇 30 克,西兰花 50 克,花生油 500 克,盐 5 克,味精 5 克,白糖 2 克,蚝油 10 克,老抽王 5 克,水生粉适量。

【做法】冬瓜去籽去皮切成扣肉块形;生姜切米;冬菇切片;西兰花切成小颗;用开水烫熟。烧锅下油,待油温 120℃ 时放入冬瓜块炸至金黄,切片扣入碗内。加入姜米、冬菇片、盐、味精、蚝油、老抽王,加少许汤,入蒸笼蒸 40 分钟至烂,扣入碟内,把原料倒入锅内烧开,用水生粉勾芡,淋在冬瓜上,周围摆上西兰花即成。

【功效】适用于高血压。

22

玉米须

【原料】玉米须 30 克,冰糖适量。

【做法】玉米须加清水 500 毫升,烧开后,去渣留汁,加入冰糖,溶化。当茶饮。

【功效】适用于肾炎引起的浮肿、高血压等症。

23

玉米须香蕉皮汤

【原料】玉米汤、香蕉皮各 30 克,栀子 10 克。

【做法】玉米汤、香蕉皮、栀子,同煎 2 次,每次用水 400 毫升,煎 30 分钟,两次混合,去渣取汁。每日 2～3 次,10 天为 1 个疗程。

【功效】适用于高血压。

24

芹菜酸枣仁汤

【原料】芹菜 200 克,酸枣仁 15 克,精盐、味精、麻油各适量。

【做法】芹菜切段；酸枣仁洗净捣碎装
入纱布袋中，扎紧袋口，加水
500毫升，煮至300毫升，拣出
药纱袋，下精盐，味精，淋麻油。
每日1～2次。

【功效】适用于高血压、神经衰弱、失眠
等症。

25 水芹鲜汁

【原料】鲜水芹500克。

【做法】鲜水芹除去须根，洗净切碎，
压榨绞汁。每日2次，每次50
毫升。

【功效】适用于高血压、头昏脑胀、尿血
等症。

26 车前蘸菜汤

【原料】鲜车前草、鲜蘸菜各100克。

【做法】鲜车前草、鲜蘸菜洗净切段，
用清水800毫升，煎至400毫
升，去渣取汁。当茶饮。

【功效】适用于高血压。

27 红烧独角蟹

【原料】蚕豆瓣（形似独角蟹）250克，
葱1根，酱油5克，糖3克，麻
油1克。

【做法】蚕豆瓣洗净，放入锅中，加水盖
过，以中火煮熟后捞出，沥干；
葱切细末备用。锅中热油15
克，放入蚕豆瓣、葱末及其余调
料，以中火焖煮至蚕豆瓣入味
即可。

【功效】适用于高血压。

28 芹菜粥

【原料】粳米100克，芹菜150克，麻

油、精盐、味精各适量。

【做法】粳米加清水，小火慢熬至粥将成时，再将芹菜连根洗净切段放入，继续熬至菜熟粥成，下麻油、精盐和味精，调匀。每日2次，空腹服。

【功效】适用于高血压、神经衰弱等症。

29
芹菜红枣汤

【原料】鲜芹菜茎500克，红枣30克。

【做法】鲜芹菜茎、红枣加清水500毫升，煎30分钟。每日2次。

【功效】适用于高血压、冠心病、胆固醇过高等症。

30
芹菜拌豆腐

【原料】水豆腐1块，芹菜150克，精盐、味精、麻油各适量。

【做法】水豆腐切成小方丁，用开水略烫，捞出装入盘中；芹菜去根、叶，洗净切碎，用开水氽熟，放凉后撒在水豆腐上，加入精盐、

味精，淋麻油，拌匀。单食或佐餐。

【功效】适用于高血压。

31
海带菠菜汤

【原料】海带50克，菠菜200克，精盐、味精、麻油各适量。

【做法】海带洗净切丝加水300毫升，煮15分钟，然后再将菠菜洗净切段放入，同煮10分钟，加入精盐、味精，淋麻油。每日1～2次。

【功效】适用于高血压、高血脂等症。

32
香蕉玉米须汤

【原料】玉米须、西瓜皮各30克，香蕉3只。

【做法】玉米须、西瓜皮加水500毫升，煎30分钟，去渣留汁，再将香蕉去皮切段放入，继续煎至蕉熟。每日2次。

【功效】适用于原发性高血压。

五、低血压

1 羊奶粥

【原料】 粳米 100 克，羊奶 450 毫升，白糖适量。

【做法】 粳米淘净，水 1 升，小火熬至半熟时，去米汤，加入羊奶 450毫升，白糖适量，熬至粥成。每日 2 次，空腹服。

【功效】 适用于病后体弱、结核病、神经衰弱、低血压等症。

2 蟹黄金钩扒豆花

【原料】 蟹黄 50 克，鸡蛋 2 只，大虾仁 5只，盐、白糖、麻油、荚汤、花生油各适量。

【做法】 将蛋清加适量清水、少许盐搅匀，蒸 4～5 分钟至热，搅碎制成豆腐花状。煮沸约半杯清水，加入虾仁、蟹黄、味料后拌匀。推入荚汤，淋于蒸蛋碎面上拌匀蒸熟即可。

【功效】 适用于低血压。

3 牛奶粥

【原料】 粳米 100 克，牛奶 500 毫升，白糖适量。

【做法】 粳米加水 800 毫升，小火熬至半熟时，倒出米汤，加入牛奶和白糖，继续同熬至粥成。每日1～2 次，空腹服。

腰部放靠垫可均衡腰椎压力，减轻劳损，但靠垫应以 10 厘米厚的软垫为佳，这样向后倚靠时才最符合人体腰椎的生理前凸。

【功效】适用于低血压、病后体弱、神经衰弱等症。

4 花生牛丸粥

【原料】花生 50 克,大米 100 克,牛肉丸 200 克,葱花、盐、胡椒粉、花生油各适量。

【做法】花生用温水浸泡 6 小时,牛丸对半切开,剞花。将花生同清水煮滚,加入大米大火煲 15 分钟,加入牛肉丸一起再煲 20 分钟。起锅加入调料,洒上葱花调味即可。

【功效】适用于低血压。

5 肉桂甘草饮

【原料】肉桂、桂枝各 5 克,炙甘草 5 克。

【做法】肉桂、桂枝各洗净切薄片,和炙甘草同放于大茶杯中,注入滚开水 200 毫升,加盖闷浸 15 分钟。当茶饮,连服 10 ～ 20 天。

【功效】适用于低血压病、体质虚弱、消瘦、怕冷、食欲不振等症。

6 菠萝鹌鹑

【原料】鹌鹑 4 只,菠萝肉 150 克,鸡蛋清 2 个,精盐、味精、黄酒、葱、姜、酱油、白糖、醋各适量。

【做法】鹌鹑刮净切块,加入鸡蛋清、精盐、味精、黄酒、拌匀,腌渍入味,用油炸至金黄色,捞出沥油。原锅留适量油,投入菠萝肉,稍炒,随即放入鹌鹑块同炒,加入葱、姜、酱油、黄酒、白糖、醋和适量清水,加盖焖熟,用淀粉勾芡。单食或佐餐。

【功效】适用于低血压。

7 菠萝炒鸡片

【原料】菠萝肉 250 克，鸡脯肉 100 克，味精、胡椒粉各适量。

【做法】将菠萝肉、鸡脯肉分别洗净切成薄片；先放鸡脯肉片和盐炒至半熟，再放菠萝同炒，注入适量清水，加盖片刻，焖至熟透，下味精、胡椒粉，炒匀。单食或佐餐。

【功效】适用于低血压眩晕、手足软弱无力等症。

8 归芪枣蛋

【原料】当归、黄芪各 30 克，红枣 30 枚，鸡蛋 3 只。

【做法】将各药和红枣、蛋分别洗净，共放于砂锅中，加清水 900 毫升，煎至 450 毫升。每天食枣 10 枚，鸡蛋 1 只，喝汤，分 3 天服完。

【功效】适用于低血压。

9 参枣二地蒸蜜

【原料】红枣 30 枚，沙参 15 克，生熟地 10 克，蜂蜜 100 克。

【做法】将各药分别洗净，同放于大瓷碗中，加入蜂蜜和水 500 毫升盖好，上锅隔水蒸 2 小时。每日 3 次。

【功效】适用于低血压。

10 黄芪天麻炖鸡

【原料】黄芪 15 克，天麻 10 克，仔母鸡 1 只，葱、姜、精盐、黄酒各适量。

【做法】将鸡剖净，除去内脏，砍去鸡爪；黄芪、天麻洗净切片，装于鸡腹腔。同放于砂锅中，加入葱、姜、精盐、黄酒和清水 600 毫升，先用大火烧开，再转用小火炖至酥烂。每日 1～2 次。

【功效】适用于低血压眩晕。

小贴士

吸管喝饮料可防止蛀牙！碳酸饮料易导致蛀牙，而吸管放置在门牙后，直接指向食道，可避免牙齿受到酸性物质的浸泡。

六、便　秘

豉汁焖排骨

【原料】排骨 400 克,红椒 1 个,蒜蓉、葱花、绍酒、姜片、食盐、豆豉、白糖、白醋、上汤、生粉、花生油 500 克。

【做法】将排骨洗净,斩件,用食盐、白醋、生粉、白糖腌 15 分钟,抹干水分;红椒切粒。起锅烧至六成油,放入排骨件拉油至微黄,捞起沥干油分。起锅爆香豆豉、红椒粒及蒜蓉,放入排骨件猛火快炒,溅入绍酒;注入上汤,用食盐调味,改小火加盖焖5 分钟。略煮至收汁,上碟撒上葱花即可。

【功效】适用于大便干燥症。

芝麻白糖粉汤

【原料】黑芝麻 500 克,绵白糖 100 克。

【做法】先将黑芝麻去除杂质,晒干,炒熟,研成细末,调入绵白糖,拌匀,装入瓶罐内,备用。每日 2 次,每次 15 克。

【功效】适用于习惯性便秘。

黑芝麻粥

【原料】黑芝麻粉 500 克,粳米 100 克。

【做法】先将粳米淘净,入砂锅,加水适量,大火煮沸后,改用小火煨煮成稠粥,粥将成时,缓缓调入黑芝麻粉,拌匀,小火煨煮至沸,即成。每日2次。

【功效】适用于习惯性便秘。

4 芝麻补肾糕

【原料】黑芝麻500克,首乌30克,桑葚30克,麻仁10克,糯米粉700克,粳米粉300克,白糖30克。

【做法】将黑芝麻拣净,放入锅内,用微火炒香;首乌、桑葚、麻仁洗净后,放入锅内,加清水适量,用大火烧沸后,改用小火煎煮20分钟,去渣留汁。随后,把糯米粉、粳米粉、白糖放入盆内,加首乌、桑葚、麻仁汁及清水适量,揉成面团,做成糕,在每块糕上撒布黑芝麻,上笼蒸30分钟,即成。每日1次,每次100克。

【功效】适用于习惯性便秘。

5 紫背菜焖排骨

【原料】排骨250克,紫背菜150克,红

萝卜片50克,香橙块、姜片、葱段、食盐、白糖、烧汁、上汤、胡椒粉、柱侯酱各适量,棕榈油500克。

【做法】将排骨洗净,斩件,拍上生粉;紫背菜洗净待用。起油锅烧至七成热,放入排骨件拉油至熟,捞起沥干油分。起锅爆香姜片、葱段,放入红萝卜片、排骨件快炒,注入上汤、柱侯酱、烧汁焖8分钟后放入紫背菜略焖。用食盐、白糖、胡椒粉调味,上碟,伴入香橙即可。

【功效】适用于便秘症。

6 松子仁粥

【原料】松子仁50克,粳米100克,白

糖或蜂蜜适量。

【做法】将松子仁拣杂，洗净后晒干，
微火炒香，与淘净的粳米同
入砂锅，加水适量，煮沸后改
用小火煨煮成稠粥，即成。
每日2次，也可加适量白糖或
蜂蜜。

【功效】适用于习惯性便秘。

7

核桃仁嚼食方

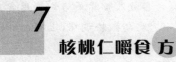

【原料】核桃仁30克。

【做法】将核桃仁拣净，备用。每晚临
睡前放入口中，细细嚼食
咽下。

【功效】适用于习惯性便秘。

8

芝麻火麻仁粉

【原料】芝麻150克，火麻仁150克。

【做法】将芝麻、火麻仁拣去杂质，晒
干或烘干，研成细末，充分混
合均匀，过筛，装入可密封防
潮的瓶中，备用。每日2次，
每次10克，温服。

【功效】适用于习惯性便秘。

9

蜂蜜盐水饮

【原料】蜂蜜30克，精盐1克。

【做法】将蜂蜜、精盐放入杯中，用温
开水冲泡，调匀即成。清
晨服。

【功效】适用于习惯性便秘。

10

生首乌蜂蜜羹

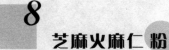

【原料】生首乌400克，蜂蜜100克。

【做法】将生首乌洗净，切成薄片，晒
干或烘干，研末，调入蜂蜜，拌
和均匀即成。每日2次，空腹
服，每次20克。

【功效】适用于习惯性便秘。

11

松子糕

【原料】松子仁50克，糯米粉800克，
粳米粉400克，白糖300克，
豆沙300克，猪油100克，红
瓜丝15克，麦叶汁30克。

【做法】先将糯米粉、粳米粉放入盆中，

混合均匀,加水搅拌;在笼屉内刷一层植物油防粘,并均匀铺上一层搓好的米粉,将豆沙馅均匀地分放在粘层上;再将猪油丁放在豆沙馅间隙中;把过筛的湿淀粉均匀撒在馅层上,上笼蒸熟;将麦叶汁加少量湿淀粉,搅打成糊状,摊布在糕面上,再放上松子仁及红瓜丝,上笼复蒸,蒸后取下,用刀纵横剖成24块,即为松子糕。每日2次,每次4块,温服。

【功效】适用于脾胃虚弱型习惯性便秘。

12
当归桃仁粥

【原料】当归30克,桃仁10克,粳米100克,冰糖20克。

【功效】先将当归、桃仁洗净,入砂锅,加水,微火煎煮30分钟,去渣留汁,备用。粳米淘净后,入砂锅,加水适量,先用大火煮沸,缓缓调入当归、桃仁浓煎汁,改用小火煨煮成稠粥,粥将成时,加冰糖,待冰糖溶化后即成。每日2次。

【功效】适用于血虚型习惯性便秘。

13
藕　夹

【原料】莲藕、肉胶各100克,盐、白糖、麻油、芡汤、高汤、生粉各适量。

【做法】将莲藕横切成1厘米厚,拍上生粉,酿上肉胶。入炉蒸8～10分钟即可。煮开高汤加入味料,放入莲藕夹略煮,推入芡汤即可。

【功效】适用于便秘。

14
猪油菠菜饭

【原料】菠菜200克,粳米250克,精

喝未煮熟的豆浆易中毒! 生豆浆加热到80～90℃时会出现假沸现象,应继续加热3～5分钟,待沫完全消失才可饮用。

盐、味精各适量。

【做法】菠菜除去细须根、洗净、切段；粳米淘净沥干，再将锅置于火上，下猪油，烧至七成热，放入菠菜煸炒片刻，加精盐、味精和适量清水，烧开，随即放入粳米，用锅铲顺锅底轻轻搅动，随着锅中水逐步减少，翻搅速度加快，同时减少火力，勿使沾锅。待米、水融和后，将饭抹平，用筷子戳几个气眼，用盖盖紧，小火焖10分钟即可。每日1～2次。

【功效】适用于肠胃积热、大便燥结、便血、衄血、胸脘烦闷、口干等症。

15

苁蓉炖羊肉

【原料】肉苁蓉15克，新鲜精羊肉250克。

【做法】先将肉苁蓉拣杂，洗净，切成片；将精羊肉洗净，放清水中浸泡30分钟，入沸水锅焯片刻，取出后，切成羊肉片，放入砂锅，加水适量，大火煮沸，撇去浮沫，烹入料酒，加苁蓉片、葱花、姜末，改用小火炖1小时，加精盐、味精、胡椒粉适量，小火炖煮至沸，即成。佐餐。

【功效】适用于阳虚型习惯性便秘。

16

清炒番薯叶

【原料】番薯叶250克，精盐适量。

【做法】番薯叶洗净沥干，炒锅置旺火上，下油，烧至八成热，放入番薯叶，翻炒几下，加精盐炒至熟。1次食完，空腹食。

【功效】适用于大便燥结、习惯性便秘等症。

17

菠菜根蜂蜜汤

【原料】菠菜红根250克，蜂蜜适量。

【做法】菠菜红根洗净切段，加水400毫升煮至熟烂，加蜂蜜调匀。每日2次，食根喝汤。

【功效】适用于大便秘结。

18

藤菜鲜汁

【原料】藤菜250克。

【做法】藤菜捣烂绞汁。每日2次，温服。

【功效】适用于便秘发热、紫斑紫癜

等症。

19

藤菜猪瘦肉

【原料】 猪瘦肉片 150 克,藤菜 250 克,
姜片、精盐、味精、麻油各适量。

【做法】 锅置旺火上,加水 400 毫升,烧
开后,先放猪瘦肉片、姜片和精
盐,煮至将熟时,再放藤菜,同
煮至熟透,下味精,淋麻油。每
日1~2次。

【功效】 适用于胸脯烦热、肠燥便秘、
便血等症。

20

青萝卜拌红鹅

【原料】 烧鹅半只,青萝卜半根,盐、花
生油各适量。

【做法】 青萝卜去皮横切成小片飞水。
起油锅炒青萝卜放调料,铺于碟
底。将烧鹅斩成小块,摆在炒好
的青萝卜上面,淋上烧鹅佐料,
即可。

【功效】 适用于便秘。

21

桃花粥

【原料】 粳米 100 克,桃花瓣 20 克,白
糖适量。

【做法】 粳米加水 1 升,大火烧开,转
用小火慢熬至粥将成时,再将
桃花瓣和白糖一起放入,熬至
糖溶粥成。每日 2 次,空腹
服。

【功效】 适用于肠胃燥热型便秘。

22

五彩炒蚕虫

【原料】 蚕虫 100 克,胡萝卜粒 20 克,
玉米粒、青椒粒、红椒粒、香芝

清晨健康警报:头晕预示颈椎骨质增生;手指僵硬是类风湿性关节炎的
症状;头面部特别是眼睑浮肿,有可能肾脏病变。

麻、洋葱粒、蒜蓉、盐、白糖、麻油、猪油、生抽各适量。

【做法】起锅放入蚕豆微火烘干、炒香待用。放入猪油,炒香蒜蓉、洋葱粒。再放入青、红椒粒、胡萝卜粒、玉米粒炒至所有材料熟,加入蚕虫及调料炒香,洒上香芝麻即可。

【功效】适用于习惯性便秘。

23

茭白芹菜汤

【原料】茭白100克,芹菜50克,精盐、味精、麻油各适量。

【做法】茭白洗净切片;芹菜去叶及须根,洗净拍扁切段;水300毫升,煮熟,下精盐、味精,淋麻

油。每天1剂。

【功效】适用于大便秘结、心胸烦热、高血压等症。

24

鲜藕地蜜膏

【原料】鲜藕汁、生地汁各100毫升,蜂蜜200克。

【做法】鲜藕汁、生地汁、蜂蜜同放于砂锅中,用小火慢熬成膏。每日3次。每次1~2匙,温服。

【功效】适用于虚热烦渴、大便秘结、小便涩痛等症。

25

猪胆蜂蜜饮

【原料】猪胆1个,蜂蜜适量。

【做法】猪胆1个取汁与蜂蜜同放瓷碗中,拌匀,上锅蒸熟。每日2~3次,温服。

【功效】适用于温病高热、大便燥结等症。

26

蜜汁鲜桃

【原料】鲜桃300克,白糖100克,糖桂

花 2 克。

【做法】鲜桃用开水略烫,去皮核,切月牙块,装于瓷碗中,加入白糖,盖好,隔水蒸至酥烂,取出熟桃块,留糖水于碗中,锅置中火上,倒入碗中的糖水,熬至糖汁起泡时,加入糖桂花和蒸熟的桃块。略炖一会,勾薄芡,装盘。每日 2～3 次。

【功效】适用于肠燥便秘等症。

27

薄荷甜桃

【原料】鲜桃 500 克,白糖、薄荷叶各适量。

【做法】鲜桃去皮核,切成滚刀片加入白糖和清水 100 毫升,碗口用纱布包上扎好,薄荷叶堆放在纱布上,上蒸笼蒸 20 分钟,出笼后除去薄荷叶,放凉食用。

【功效】适用于肠燥便秘、食欲不振等症。

28

红薯粥

【原料】红薯 1 条,东北大米 50 克,冰糖适量。

【做法】将红薯洗净、刨皮、切件略浸;大米洗净。将大米、红薯加入清水同煲 45 分钟,加入冰糖拌匀即可。

【功效】适用于便秘。

29

苹果柠檬汁

【原料】柠檬 1 个,苹果 500 克,蜂蜜适量。

【做法】柠檬捣烂绞汁,装于碗中。再将苹果洗净,切成小块,连同适量冷开水,绞汁。加入柠檬汁和蜂蜜混合均匀服用。每日 2～3 次,每次 30～50 毫升。

【功效】适用于肠胃不适、气滞便秘、面

容枯燥无华等症。

30
玉麻栗糕

【原料】栗子肉 50 克,黑芝麻 20 克,火麻仁 20 克,玉米粉 100 克,红糖适量。

【做法】栗子肉、黑芝麻、火麻仁焙干研粉,与玉米粉同放于瓷盆中;红糖加适量水烧开溶化后,倒入瓷盆中,与玉米拌和均匀,制成糕坯,用大火隔水蒸熟。每日 2～3 次,空腹服。

【功效】适用于肾虚便秘。

31
番薯黑米粥

【原料】番薯 250 克,黑米 100 克,白糖适量。

【做法】番薯切粒,黑米加清水 1 升,大火烧开,转用小火慢熬成粥,加入白糖,调匀。每日 2～3 次,空腹服。

【功效】适用于年老年体弱、便秘等症。

32
番薯蘸蜂蜜

【原料】番薯 150 克,蜂蜜适量。

【做法】番薯切块,蒸熟,蘸蜂蜜食。

【功效】适用于老年气虚、便秘等症。

33
胡萝卜蜂蜜饮

【原料】胡萝卜 500 克,蜂蜜适量。

【做法】胡萝卜捣烂绞汁,煮沸,每日 2～3 次,调蜂蜜服。

【功效】适用于便秘。

34
核桃熟地炖猪肠

【原料】猪大肠 500 克,核桃仁、熟地片各 20 克,红枣 5 枚,姜、黄酒、精盐各适量。

【做法】猪大肠洗净切块;核桃仁去黑膜;熟地片、红枣去核,加清水 700 毫升,大火烧开后,撇去浮沫,加入姜片、黄酒和精盐,小火炖至酥烂,拣出熟地,每日 2 次。

【功效】适用于老年人病后津液不足、
肠燥便秘、习惯性便秘等症。

35
牛奶蜂蜜 饮

【原料】牛奶 250 毫升，蜂蜜 100 克，葱
汁适量。

【做法】牛奶、蜂蜜、葱汁同放于砂锅
中，小火煮沸即成。每日清晨
空腹服。

【功效】适用于习惯性便秘。

36
麻仁苏子 粥

【原料】火麻仁、苏子各 15 克，粳米 100
克，白糖适量。

【做法】火麻仁、苏子分别洗净，共捣
烂，装入纱布袋中，扎紧袋口。
粳米淘净，放于砂锅中，注入
清水 1 升，烧开后，加入药纱
袋，慢火熬成粥。拣出药纱
袋，下白糖、调匀。每日 1～2
次，空腹服。

【功效】适用于大便不通、燥结难解等
症。

37
香芋排骨 粥

【原料】东北大米 150 克，槟榔芋头 300
克，排骨 50 克，芹菜、盐、生粉、
花生油各适量。

【做法】排骨件先用盐、生粉、花生油
拌匀，腌半小时；芹菜切段；芋
头去皮切成边长 2 厘米的小
段。将米加清水煲 15 分钟，
再加芋头煲 20 分钟。倒入排
骨煲 10 分钟，加芹菜、调料调
味即可。

【功效】适用于慢性便秘。

秋季可食用金针菇预防哮喘、湿疹等过敏症，还可提高免疫力，对抗病
毒性感染及癌症，但一次不要吃太多，否则易导致腹泻。

38 鸳鸯香芋粥

【原料】大米 100 克,芋头 300 克,葱丝、盐、麻油各适量。

【做法】芋头一部分切丝,一部分切粒。将芋头丝放入油锅中炸至金黄,捞起滤干油分;将米、芋头粒放入清水中煲 30 分钟。加入适量调料拌匀,将芋头丝铺上粥面,再洒上葱丝即可。

【功效】适用于慢性便秘。

39 核桃蜂蜜

【原料】核桃仁 20 克,蜂蜜适量。

【做法】核桃仁洗净去膜,每晚临睡前,拌蜂蜜嚼服,连服 3~5 天。

【功效】适用于习惯性便秘、老年人气虚便秘等症。

40 芝麻核桃蜜

【原料】黑芝麻、核桃仁各 25 克,蜂蜜适量。

【做法】黑芝麻、核桃仁炒熟共捣烂如泥,每日 2 次,调蜂蜜服。

【功效】适用于老年习惯性便秘。

41 火麻仁粥

【原料】粳米 50 克,火麻仁 50 克,精盐、麻油各适量。

【做法】粳米淘净,加水 800 毫升,烧开后,慢熬将成粥时,再将火麻仁研成细末放入,熬至成粥,下精盐、淋麻油。每日 1~2 次,空腹服。

【功效】适用于大便秘结。

42 桑葚杞参汤

【原料】桑葚、枸杞、玄参各20克。

【做法】桑葚、枸杞、玄参分别洗净,水煎2次,每次用水300毫升,煎30分钟,两次混合,去渣取汁,每日2次。

【功效】适用于气虚便秘、老年便秘等症。

43 冰糖蒸香蕉

【原料】香蕉2只,冰糖适量。

【做法】香蕉去皮,冰糖捣碎,放入大瓷碗中,加水250毫升,隔水蒸熟,每日1～2次。

【功效】适用于体虚便秘。糖尿病者忌服。

44 蒜苗回锅肉

【原料】带皮猪五花肉150克,蒜苗50克,红椒1个,生姜10克,花生油10克,盐5克,味精5克,豆瓣酱5克,白糖2克,麻油2克。

【做法】将肉洗净,改成长块;蒜苗洗净切段;红椒切片;生姜去皮切片。烧锅加水,放入肉块,用小火煮熟,捞起切薄片。烧锅下油,待油热时放入姜片、豆瓣酱、肉片爆炒,加入蒜苗、红椒片,调入盐、味精、白糖炒透入味,淋入麻油,出锅入碟即成。

【功效】适用于便秘。

45 香蕉粥

【原料】粳米50克,香蕉200克,蜂蜜适量。

【做法】粳米加水800毫升,熬至粥将成时,再将香蕉去皮,切成小段,和蜂蜜一起放入,熬至粥

研究证明:坚持用茶水漱口可有效预防流感;虽茶能减少吸烟危害;常饮红茶有助记忆力,秋季宜喝铁观音等青茶。

成。每日2次,空腹服。

【功效】 适用于大便秘结。

46

糯米核芝二黄粥

【原料】 糯米100克,核桃仁、黑芝麻、黄豆、黄芪、山药各15克,红枣10枚,冰糖适量。

【做法】 糯米加水1升,大火烧开后,将核桃仁、黑芝麻、黄豆、黄芪、山药、红枣放入。转用小火慢熬成粥,加入冰糖。每日2次,空腹服。

【功效】 适用于气血亏虚、腰膝酸软、四肢乏力、尿频、皮肤枯燥、须发早白、老年性便秘等症。

47

芝麻蛋蜜糊

【原料】 黑芝麻250克,鸡蛋1只,黑芝麻末15克,蜂蜜适量。

【做法】 黑芝麻炒香至脆,研末;用鸡蛋、黑芝麻末调和均匀后,用滚开水冲成蛋糊,加蜂蜜调服。

每日2～3次。

【功效】 适用于平素体弱、未老先衰、须发早白、气虚便秘等症。

48

首乌蜂蜜饮

【原料】 何首乌50克,蜂蜜适量。

【做法】 何首乌水煎2次,每次用水300毫升,煎30分钟,两次混合,去渣取汁。每日2次,调蜂蜜服。

【功效】 适用于妇女产后便秘、老年性便秘等症。

49

阿胶葱白饮

【原料】 连须葱白150克,阿胶20克,蜂蜜100克。

【做法】 连须葱白洗净切段,放于砂锅中,注入清水400毫升,煎至200毫升,去渣留汁于锅中,再入阿胶、蜂蜜。煮至胶溶。每日1～2次,温服。

【功效】 适用于大便秘结。

七、高血脂

1 黑芝麻粥

【原料】黑芝麻60克,桑葚60克,白砂糖10克,粳米50克。

【做法】将黑芝麻、桑葚、白砂糖一同研碎后放入锅中,加适量水,用旺火煮沸,再改用文火熬成稀糊状,调入白砂糖即成。每日1剂,分2次服用。

【功效】适用于治疗高血脂、高血压等症。

2 肉松蒸豆腐

【原料】豆腐3块,瘦肉150克,松花皮蛋3只,咸鸭蛋3只,青红椒1个,香菜、食盐、花生油、白糖、生粉、蚝油各适量。

【做法】将豆腐用淡盐水浸泡,切厚片,整齐摆入碟中;瘦肉洗净,剁成肉末;青红椒切成碎粒;用食盐、白糖、生粉加清水拌匀成芡汤;香菜洗净。将松花蛋和咸鸭蛋同入笼蒸熟,取出去壳,切瓣,交错摆在豆腐上面。将瘦肉末、青红椒粒撒在鸡蛋面,注入蚝油、芡汤,上笼蒸5分钟,取出撒上香菜即可。

【功效】适用于高血脂。

3 烟肉卷鸡腿菇

【原料】烟肉300克,鸡腿菇200克,青

吃药后别马上睡觉,否则药物粘在食管上不易进入胃中,腐蚀性强的药还会导致食道溃疡,所以不要立即仰卧,应坐着或站立片刻。

红椒粒、蒜蓉、白糖、生粉、食盐、蚝油、高汤、生油各适量。

【做法】将烟肉洗净,切薄片;鸡腿菇洗净,氽熟,加少许蚝油略腌。用烟肉片将鸡腿菇卷起,放入煎锅中煎至上色,放入碟中摆好。起锅爆香蒜蓉、青红椒粒,注入高汤,加食盐、白糖、蚝油略煮,用生粉勾芡,淋于鸡腿菇面即可。

【功效】适用于高血脂。

4

山楂陈皮红糖 饮

【原料】鲜山楂30克,陈皮15克,红糖20克。

【做法】先将鲜山楂拣杂,洗净,切碎;与洗净切碎的陈皮同放入纱布

袋中,扎口,放入砂锅,加足量清水,中火煎煮40分钟,取出药袋,滤尽药汁,调入红糖,拌和均匀即成。每日2次。

【功效】适用于中老年高血脂症。

5

香菇 汤

【原料】香菇5个。

【做法】先将香菇洗净,切成细丝状,放入杯中,用刚煮沸的水浸泡,加盖,焖15分钟即可饮用。每日3～5次。

【功效】适用于中老年高血脂症。

6

荷叶红枣 粥

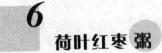

【原料】荷叶细末15克,粟米100克,红枣15枚,红糖15克。

【做法】先将红枣、粟米洗净,放入砂锅,加水适量,大火煮沸后,改用小火煨煮30分钟,调入荷叶细末,继续用小火熄煮至粟米酥烂,加入红糖,拌匀即成。每日2次。

【功效】适用于各型高血脂症。

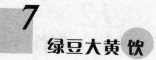

7 绿豆大黄饮

【原料】 绿豆100克,生大黄6克,蜂蜜 20克。

【做法】 先将绿豆拣杂,洗净,放入砂 锅,加清水适量,浸泡30分 钟。将生大黄拣杂、洗净后切 片,加水煎约2分钟,取汁100 毫升。绿豆砂锅置火上,大火 煮沸,改用小火煨煮1小时, 待绿豆酥烂,将生大黄汁、蜂 蜜加入绿豆汤中,拌和均匀, 即成。每日2次。

【功效】 适用于高血脂症、便秘等症。

8 红花绿茶饮

【原料】 红花5克,绿茶5克。

【做法】 先将红花拣杂,与绿茶同放入 有盖杯中,用沸水冲泡,加盖 闷15分钟即成。每日3～5 次。

【功效】 适用于高血脂症肥胖、冠心病 等症。

9 大蒜萝卜汁

【原料】 大蒜头60克,萝卜120克。

【做法】 先将大蒜头剥去外包皮,洗净 切碎,剁成大蒜泥汁。将萝卜 除去根、须洗净,连皮切碎,捣 烂取汁,用洁净纱布过滤,将萝 卜汁与大蒜泥汁充分拌和均 匀,或可加适量红糖调味,即 成。每日2次。

【功效】 适用于高脂血症。

10 决明核桃芝麻羹

【原料】 决明子30克,核桃仁30克,黑 芝麻30克,薏苡仁50克,红糖 10克。

【做法】 先将决明子、黑芝麻分别洗净 后,晒干或烘干;决明子敲碎, 与黑芝麻同入锅中,微火翻炒 出香,趁热共研为细末;将核桃 仁拣杂后洗净,晾干后研成粗 末;将薏苡仁拣杂,淘洗干净, 放入砂锅,加水适量,大火煮沸 后,改用小火煨煮成稀黏稠状, 加红糖,调入核桃仁粗末,拌和

研究显示,糖尿病患者应每天喝些番茄汁,可稀释糖尿病患者的血液, 从而预防血栓的形成,减少患者并发心脏病的几率。

均匀,再调入决明子、黑芝麻细末,小火煨煮成羹,即成。每日2次。

【功效】适用于高脂血症。

11 火腩蚝豉粥

【原料】东北大米、火腩肉各50克,蚝豉85克,姜片、葱段、盐各适量。

【做法】火腩肉切薄片,蚝豉放温水内胀发、洗净。将东北大米倒入沸水里用大火煲5分钟,改小火加蚝豉与姜片煲30分钟。加入火腩肉滚5分钟,洒入葱段加盐调味即可。

【功效】适用于高血脂症。

12 何首乌粉

【原料】何首乌1千克。

【做法】将何首乌拣杂,洗净,晒干或烘干,研成细粉,瓶装,备用。每日2次,每次6克,温服,2个月为1个疗程。

【功效】适用于高血脂症。

13 首乌鲤鱼汤

【原料】鲤鱼1条,何首乌30克,姜、油、盐各适量。

【做法】何首乌加水500毫升,煮1小时,去渣留汁;即将鲤鱼洗净切块;生姜洗净切丝。一起放入锅中,煮至熟透,下油、盐调匀。每日1～2次。

【功效】适用于高血脂症、体虚贫血、须发早白、头晕、失眠、腰膝酸痛、心绞痛等症。

14 竹荪莼菜汤

【原料】干竹荪30克,莼菜100克,猪

瘦肉片 50 克。

【做法】锅中注入水 300 毫升，投入猪瘦肉片，烧开后，再将竹荪和莼菜放入，煮至熟透，下姜丝、精盐、味精，淋麻油。每日 1～2 次。

【功效】适用于高血脂、肺结核等症。

15 灵芝炖龟

【原料】灵芝 30 克，乌龟 1 只，红枣 10 枚，精盐、味精、麻油各适量。

【做法】灵芝、乌龟削净切块，与红枣共放于砂锅中，注入清水 600 毫升，烧开后，小火炖至酥烂，下精盐、味精，淋麻油。每日 2 次。

【功效】适用于高血脂症。

16 豆浆粳米粥

【原料】粳米 50 克，浓豆浆 300 毫升。

【做法】粳米加水 500 毫升，烧开后，加入浓豆浆，小火慢熬成粥，每日清晨空腹服 1～2 碗。

【功效】适用于高血脂、动脉硬化、心

脑血管病、营养不良等症。

17 首乌红枣粥

【原料】粳米 100 克，何首乌 100 克，红枣 50 克，冰糖适量。

【做法】粳米加水 500 毫升，大火烧开，加入何首乌、红枣，小火慢熬至粥将成时，加入冰糖，熬至糖溶粥成。每日 1～2 次，空腹服。

【功效】适用于高血脂症、血管硬化、病后体弱、气血亏损、头晕眼花、头发早白、大便燥结等症。

18 凉拌平菇鸡汤

【原料】平菇 200 克，鸡汤 50 毫升，姜汁、酱油、麻油、味精各适量。

【做法】鸡汤、姜汁、酱油、麻油、味精同放于碗中，搅匀成调味汁；平菇洗净切片，放入开水锅中汆熟，沥干，装于盘中，浇上调味汁，拌匀。每日 1～2 次。

【功效】适用于高血脂、高血压、肝血不足等症。

家庭常用药失效特征：片剂——受潮粘连、裂片及糖衣片变色；眼药水——有变色如絮状物；软膏剂——变色；糖浆剂——发酵、发霉状。

19

蚝豉瑶柱粥

【原料】 大米、蚝豉各50克,瑶柱30克,姜丝、香菜碎、盐、花生油各适量。

【做法】 蚝豉、瑶柱用温水浸透。将米用油和盐拌匀,同蚝豉、瑶柱倒入沸水中大火煮5分钟,改小火煮30分钟。起锅洒入姜丝、香菜碎调味即可。

【功效】 适用于高血脂症。

20

首乌山药粥

【原料】 首乌、山药各20克,粳米100克,蜂蜜适量。

【做法】 首乌、山药水煎2次,每次用水300毫升,两次混合,去渣留汁于锅中,再将粳米淘净放入,并注入清水500毫升,继续用小火慢熬成粥,下蜂蜜,调匀。每日1~2次,空腹服。

【功效】 适用于更年期综合征、高血脂、眩晕、失眠等症。

21

首乌归地汤

【原料】 制首乌30克,当归、生地各15克。

【做法】 制首乌、当归、生地水煎2次,每次用水400毫升,煎30分钟,两次混合,当茶饮。

【功效】 适用于高脂血、气血亏虚、青少年白发等症。

22 山楂虫茶

【原料】山楂 30 克，虫茶 10 克。

【做法】山楂洗净，水 400 毫升，煎至 200 毫升，去渣取汁，倒入茶壶中，加入虫茶温浸 15 分钟，当茶饮。

【功效】适用于高血脂、高血压、消化不良、食欲不振等症。

23 玉米木耳粥

【原料】玉米粒 150 克，黑木耳 10 克。

【做法】玉米粒用压力锅加水 300 毫升煮至将烂时，改用普通锅，放入水发木耳同煮为粥，下盐，调匀。每日 2 次，空腹服。

【功效】适用于高血脂、冠心病等症。

24 山楂猪排汤

【原料】山楂 30 克，猪排骨 500 克，芹菜叶 5 克。

【做法】山楂洗净；猪排骨洗净切成小块，加水 400 毫升，小火炖至酥烂，加入芹菜叶和盐，再炖片刻。每日 1～2 次。

【功效】适用于高血脂、高血压、食欲不振等症。

25 腐竹炒小瓜

【原料】水发腐竹 200 克，云南小瓜 50 克，红萝卜 10 克，生姜 10 克，蒜子 10 克，花生油 15 克，盐 5 克，味精 5 克，蚝油 5 克，麻油 1 克，水生粉适量。

【做法】水发腐竹切斜片；云南小瓜去籽切片；红萝卜切片；生姜去皮切片，蒜子切片。锅内加水烧开，放入腐竹、红萝卜，煮去内部腥味倒出，冲凉待用。另烧

小贴士

切勿隔着玻璃晒太阳！适当晒太阳可补钙，但隔着玻璃晒太阳，由玻璃隔离的紫外线会影响皮肤合成 Vd，影响肌体对钙的吸收。

锅下油,待油热时下姜片、蒜片、云南小瓜片炒片刻,加入腐竹片、红萝卜片,调入盐、味精、蚝油炒透,用水生粉勾芡,淋上麻油,出锅入碟即成。

【功效】适用于高血脂症。

26
雪花鱼夹 肉

【原料】猪瘦肉50克,青鱼肉100克,鸡蛋3个,西红柿20克,花生油500克(实耗60克),盐5克,味精5克,白糖3克,干生粉30克。

【做法】将瘦肉剁成肉泥,加少许盐、味精、干生粉,制成肉馅;鱼肉切双飞鱼夹;西红柿切片摆入碟内。把肉馅酿入鱼夹内,鸡蛋

去黄留白,加入盐、味精、白糖、干生粉,调成雪花糊。烧锅下油,待油温120℃时把鱼夹挂上雪花糊,炸至外白内熟,捞起入碟即成。

【功效】适用于高血脂症。

27
柿叶绿茶 干

【原料】柿叶10克,绿茶5克。
【做法】柿叶洗净切碎,与绿茶同注入滚开水150毫升,温浸5分钟,当茶饮。
【功效】适用于高血脂、高血压等症。

28
水芹黑枣 汤

【原料】水芹200克,黑枣120克。
【做法】水芹切段;黑枣去核。加水600毫升,煎至300毫升。拣出水芹,每日2次。
【功效】适用于高脂血、高血压等症。

八、糖尿病

1 山药饼

【原料】 淮山药 50 克,面粉 100 克,鸡蛋 1 个。

【做法】 将淮山药洗净,晒干或烘干,研成细末,与面粉拌匀;鸡蛋磕入碗中,用筷搅打成泥糊,搅拌入山药面粉中,加葱花、姜末、精盐、麻油适量,和成面团,在加植物油的平底锅上,小火煎成薄饼。每日2次。

【功效】 适用于糖尿病。

2 火腩焖番鸭

【原料】 番鸭 750 克,栗子 250 克,火腩 100 克,香菇 5 朵,青椒 1 个,姜片 2 片,生粉、生抽、上汤、生粉各适量,花生油各适量。

【做法】 将番鸭洗净,飞水,斩件;栗子煮熟,剥去外壳及内层膜;香菇用温水浸发,去蒂,背部剞花;青椒切件。起锅爆香姜片、青椒件,放入番鸭件,溅入生抽猛火快炒,注入上汤及清水,加食盐调味,放入栗子、香菇、火腩,加盖用中火焖 20 分钟。用旺火收汁,生粉勾芡即可。

【功效】 适用于糖尿病。

秋季干燥,宜吃清热、生津、养阴润肺的食物,如百合、糯米、梨、木耳等,中老年胃弱的人,早餐宜食粥,和中益胃生津。

3 青皮南瓜粉

【原料】青皮南瓜1千克。

【做法】将青皮嫩南瓜洗净,去籽,连皮切成薄片,晒干或烘干,研成细粉,装入可密封防潮的瓶中,冷藏备用。每日2次,每次5克,温服。

【功效】适用于糖尿病。

4 番薯叶冬瓜汤

【原料】番薯叶150克,冬瓜200克。

【做法】番薯叶、冬瓜加水500毫升,煮至冬瓜熟烂。每日1～2次。

【功效】适用于糖尿病。

5 荔枝核葛根羹

【原料】荔枝核15克,葛根10克,山药60克。

【做法】将荔枝核、葛根、山药分别洗净,晒干或烘干,敲碎或切碎,共研成细末,用温开水调匀,呈稀糊状,小火上制成黏稠羹。每日空腹用。

【功效】适用于糖尿病。

6 地骨皮玉米须茶

【原料】地骨皮20克,玉米须30克。

【做法】先将地骨皮洗净,切成片,将玉米须拣洗干净,凉干,切成段,与地骨皮片同入砂锅,加水适量,煎成稠汁,约300毫升。每日2次,每次150毫升,用沸水冲茶,频频饮用。

【功效】适用于糖尿病。

7 麦麸蛋菜糊

【原料】麦麸粉200克,粗制麦粉100克,猪瘦肉100克,大白菜100克,鸡蛋1个,精盐、味精、麻油各适量。

【做法】先把适量清水烧开,投入麦麸粉和粗制麦粉,搅匀,再烧开,放入猪瘦肉、大白菜、鸡蛋和精盐,转用小火慢搅成糊,下味精,淋麻油,拌匀,每日2次,空腹服。

【功效】适用于糖尿病。

8 竹芪炖兔

【原料】玉竹 30 克，黄芪 20 克，兔肉 500 克，姜片、黄酒、精盐、味精、麻油各适量。

【做法】玉竹、黄芪，水煎 2 次，每次用水 300 毫升，煎 30 分钟，两次混合，去渣留汁于锅中，再将兔肉洗净切块，和姜片、黄酒一起放入，炖至酥烂。下精盐、味精，淋麻油。每日 2 次。

【功效】适用于糖尿病。

9 荔枝扒脯

【原料】荔枝肉 150 克，冬瓜 500 克，盐、白糖、麻油、芡汤各适量，高汤 300 克。

【做法】将冬瓜切成大块放入高汤中煨透。加入荔枝肉、调料拌匀。推入芡汤即可。

【功效】适用糖尿病。

10 猪胰粉

【原料】猪胰 1 具。

【做法】将猪胰清洗干净，用小火焙干，或切片烘干，研成细末，装入可密封防潮的瓶中，冷藏备用。每日 3 次，每次 5 克，温服。

【功效】适用于糖尿病。

11 雍菜玉米须汤

【原料】雍菜梗 100 克，玉米须 50 克。

【做法】雍菜梗、玉米须加水 400 毫升，小火煮熟，每日 2 次。

【功效】适用于糖尿病、高血压等症。

孕早期过量食用山楂易流产！山楂可促使子宫收缩，大量食用山楂及山楂制品可能造成流产，有过流产史的孕妇更应忌食。

12 苦瓜鱼干粥

【原料】白粥 1 大碗,鱼干、苦瓜各 50 克,姜丝、盐、麻油各适量。

【做法】将苦瓜件、鱼干飞水,滤干待用。白粥加热,放入苦瓜、鱼干小火煲 10 分钟。洒上姜丝,加盐、麻油调味即可。

【功效】适用于糖尿病。

13 红枣炖兔肉

【原料】兔肉 500 克,红枣 100 克,姜丝、黄酒、酱油、精盐、白糖、味

精、胡椒粉、麻油各适量。

【做法】兔肉洗净切块;红枣去核;茶油 1 升。油锅烧至八成热,下兔肉入锅炸熟,倒出沥油。原锅留适量余油,继续加热,投入姜丝、兔肉、黄酒、酱油、精盐、白糖同翻炒入味,再投入红枣和适量清水,加盖,小火焖至熟烂,下蒜段稍焖,勾芡加尾油,调味精,出锅,撒胡椒粉,淋麻油。每日 1～2 次。单食或佐餐。

【功效】适用于糖尿病、皮肤枯燥无华、阴虚失眠、过敏性紫癜等症。

14 麦冬黄连茶

【原料】麦冬 15 克,黄连 2 克。

【做法】先将麦冬、黄连拣洗干净,晾干,切成饮片,同放入有盖杯中,用沸水冲泡,加盖闷 15 分钟,即可饮用。每日 3～5 次。

【功效】适用于糖尿病。

15 黄精玉竹茶

【原料】黄精 20 克,玉竹 20 克。

【做法】 将黄精、玉竹分别拣洗干净，晾干或晒干，切成片。同放入砂锅，加水煎煮成稠汁约 300 毫升。代茶冲服，频频饮用。

【功效】 适用于糖尿病。

16
大麦绿豆

【原料】 糯米粉、大麦、绿豆各 200 克，糯米 100 克。

【做法】 糯米粉、大麦、绿豆、糯米，分别洗净沥干，用小火炒熟，共研成细粉。每日 3 次，每次 50～100 克，温服。

【功效】 适用于糖尿病。

17
猪脾赤豆汤

【原料】 猪脾 1 具，赤小豆经发芽的鲜品 120 克，姜片、精盐、味精、麻油各适量。

【做法】 猪脾 1 具切片，赤小豆经发芽的鲜品，同放于砂锅中，注入清水 600 毫升，烧开后，撇去浮沫加入姜片和精盐，小火炖至酥烂，下味精，淋麻油，调匀。每日 1～2 次。

【功效】 适用于糖尿病。

18
椒盐菜花

【原料】 菜花 300 克，鸡蛋 1 个，生姜 5 克，蒜子 5 克，红椒 1 个，葱 10 克，花生油 500 克，椒盐 5 克，味精 5 克，麻油 1 克，干生粉适量。

【做法】 菜花切颗粒洗净，沥干水；生姜切粒；蒜子切粒；红椒切粒；葱切段。鸡蛋打入碗内，放入菜花、干生粉搅匀，锅烧油，待油温升至 110℃ 时，逐块放入菜花，炸至金黄色时捞起待用。锅内留油，放入姜米、红椒米，下入炸好的菜花，调入椒盐、味精、葱花炒透，淋入麻油即成。

【功效】 适用于糖尿病。

生姜巧治病：姜捣烂敷患处可消炎止痛；姜片敷太阳穴治头痛；热姜水里加适量蜜糖可缓解酒醉；姜敷在肚脐上可防晕车晕船。

19 山药百合猪胰汤

【原料】猪胰1具,山药50克,百合20克,精盐、麻油各适量。

【做法】猪胰切片;山药、百合加清水400毫升,烧开后,小火煮30分钟,下精盐,淋麻油。每日1～2次,趁热食渣喝汤。

【功效】适用于糖尿病、咳嗽痰少、食欲不振等症。

20 黄精玉竹猪胰汤

【原料】猪胰1具,黄精30克,玉竹15克。

【做法】猪胰、黄精、玉竹加清水400毫升,小火煮1小时,拣出黄精、玉竹。每日1～2次。

【功效】适用于糖尿病、心力衰竭等症。

21 山药猪胰汤

【原料】猪胰1具,山药100克,精盐、味精、麻油各适量。

【做法】猪胰切片,与山药同放于砂锅中,注入清水600毫升,烧开后,小火炖至酥烂。下精盐、味精,淋麻油。每日1～2次。

【功效】适用于糖尿病、尿频、腰腿酸软、口干舌红等症。

22 猪脊骨汤

【原料】猪脊骨500克,红枣、莲肉各30克,炙甘草15克,云木香5克。

【做法】猪脊骨洗净敲碎;红枣、莲肉、炙甘草、云木香洗净沥干,同放于砂锅中,注入清水1升,烧开后,撇去浮沫,小火炖至骨质酥烂,去渣取汁。每日2～3次。

【功效】适用于糖尿病。

23 醋蒸白毛鸡

【原料】白毛鸡1只,醋250毫升。

【做法】白毛鸡洗净,砍去脚爪放于大瓷碗中,腹面向上,醋倒入腹腔内,不放盐,盖好,上锅隔水蒸至酥烂。空腹服。

【功效】适用于糖尿病。

24
玉竹杞鹑汤

【原料】 玉竹 30 克，枸杞 15 克，龙眼肉
10 克，鹌鹑块、姜片、精盐、味
精、麻油各适量。

【做法】 玉竹洗净切片；杞、龙眼肉分别洗
净沥干。锅置旺火上，注入清水
500 毫升，烧开后，将各药及鹌鹑
块、姜片、精盐放入，小火炖至酥
烂，下味精，淋麻油。每日 2 次。

【功效】 适用于糖尿病、腰膝酸软、健
忘、失眠等症。

25
海参芪药汤

【原料】 水发海参 100 克，黄芪片 20
克，山药 30 克，鸡清汤 400 毫
升，姜片、精盐、味精、麻油各
适量。

【做法】 水发海参洗净切丝；黄芪片洗
净用纱布包好；山药洗净沥干。
同放于砂锅中，注入鸡清汤，烧
开后，加入姜片和精盐，小火煮
至熟透，拣出黄芪，下味精，淋
麻油。每日 1～2 次。

【功效】 适用于糖尿病。

26
蚕蛹银耳汤

【原料】 蚕蛹 100 克，银耳 20 克，姜丝、
精盐、味精、麻油各适量。

【做法】 蚕蛹洗净；银耳水发，洗净，除
去耳蒂。加水 600 毫升，大火
烧开后，加入姜丝和精盐，转
用小火再炖 1 小时，下味精，
淋麻油。每日 1～2 次，趁热
服。

【功效】 适用于糖尿病、肺结核、小儿疳
积等症。

27
莴笋炒三丁

【原料】 油炸花生米 20 克，莴笋 50 克，
红椒 1 个，白萝卜 50 克，生姜
10 克，花生油 15 克，盐 5 克，味
精 5 克，白糖 2 克，水生粉
适量。

【做法】 油炸花生米去皮；莴笋去皮切
丁；红椒切丁；白萝卜去皮切
丁；生姜去皮切小片。锅内加
水烧开，放入莴笋丁、白萝卜
丁，用中火煮至快熟，泡入冷水
待用。另烧锅下油，待油热时

小贴士

室内忌养飞鸟！ 鸟粪中带有鹦鹉病毒、寄螨、病毒与病菌飞扬在空气
中，人体长时间吸入会诱发呼吸道黏膜充血、咳嗽、发烧等。

放入姜片、红椒丁、莴笋丁、白萝卜丁翻炒几下,调入盐、味精、白糖,炒至入味,用水生粉勾芡,加入花生米炒匀,出锅入碟即成。

【功效】适用于糖尿病。

28 蚂蚁参芪散

【原料】蚂蚁 100 克,人参、黄芪各 20 克,天花粉 100 克,丹皮、玄参各 10 克。

【做法】蚂蚁、人参、黄芪、天花粉、丹皮、玄参,分别洗净焙干,共研末。每日 3 次,每次 5～10 克,温服。3 个月为 1 个疗程。

【功效】适用于糖尿病。

29 羊奶山药羹

【原料】鲜羊奶 250 毫升,山药粉 50 克。

【做法】鲜羊奶,烧开后,加入山药粉,调匀,煮熟。趁热服用。

【功效】适用于糖尿病。

30 桑葚杞药汤

【原料】桑葚 50 克,枸杞、山药各 20 克。

【做法】桑葚、枸杞、山药分别洗净,水煎 2 次,每次用水 400 毫升,煎 30 分钟,两次混合,去渣取汁。每日 2～3 次服用。

【功效】适用于糖尿病。

31 赤豆鲤鱼汤

【原料】鲤鱼 1 条,赤小豆 50 克,陈皮、辣椒、草果、大葱、姜、精盐、味精、麻油各适量。

【做法】鲤鱼1条洗净。赤小豆洗净，加水浸没为度，小火煮开后，待汤汁被赤小豆吸干时，放入陈皮、辣椒及拍裂的草果一起拌匀，纳入鱼腹腔，装于大瓷碗中，注入清水500毫升，加大葱、姜和精盐，盖好，隔水蒸2小时，下味精，淋麻油。每日1～2次。

【功效】适用于糖尿病、水肿等症。

32

鲍鱼萝卜汤

【原料】鲍鱼30克，萝卜250克，精盐、味精、麻油各适量。

【做法】鲍鱼水发透，洗净，切块。加水400毫升，烧开后，再将萝卜洗净切块放入，小火炖至酥烂，下精盐、味精，淋麻油，调匀。每日1～2次。

【功效】适用于糖尿病、腰膝酸软、头晕、倦怠乏力等症。

33

蚂蚁豆腐汤

【原料】水豆腐2块，香菇50克，干蚂

蚁30克。

【做法】水豆腐2块，加水400毫升，烧开后，再将香菇和干蚂蚁一起放入，小火煮至熟透，调味。单食或佐餐。

【功效】适用于糖尿病、慢性肝炎、产妇缺乳等症。

34

黄鳝炒大葱

【原料】黄鳝500克，大葱100克，姜、蒜蓉、黄酒、酱油、精盐各适量。

【做法】黄鳝，刮净去骨切片；大葱洗净切段；蒜瓣去膜拍成蓉。锅置旺火上，下油，烧至七成热，先投大葱、姜、蒜蓉，爆出香味，再放鳝鱼片炒匀，下黄酒、酱油和精盐同炒，注入适量清水，盖焖片刻，调入味精，炒至熟透。每日1～2次。单食或佐餐。

【功效】适用于糖尿病。

秋季鼻腔黏膜会变得干燥，脆弱，毛细血管易受伤出血，可倒杯热开水，让水蒸气熏一熏鼻腔，保持5分钟左右即可。

九、痢 疾

1 香葱头蒸鸡

【原料】 本地鸡半只,红葱头 50 克,姜片 5 片,盐、白糖、生粉、生抽、麻油、花生油各适量。

【做法】 先将红葱头放入炉中用高温油略炸使其出味。与其他材料及调料拌匀,腌 15 分钟。入炉蒸 15 分钟,淋上麻油即可。

【功效】 适用于细菌性痢疾。

2 蒜泥苋菜

【原料】 蒜头 50 克,苋菜 200 克。

【做法】 先将蒜头瓣去外皮,切碎,捣烂成蓉。苋菜须拣杂,反复洗净后,切成段,用植物油大火急炒片刻,加精盐、味精,继续翻炒 1～2 分钟,加蒜泥、香醋,拌匀即成,或起锅装盘,加蒜蓉、香醋拌和均匀即可食用。

【功效】 适用于细菌性痢疾。

3 马齿苋苡仁粥

【原料】 新鲜马齿苋 100 克,薏苡仁 60 克,粳米 60 克。

【做法】 先将新鲜马齿苋拣杂洗净,切成小段;薏苡仁、粳米淘净,同入砂锅,加水适量,先用大火煮沸,加入马齿苋小段,改用小火

煨煮成稠黏粥。每日2次。

【功效】适用于细菌性痢疾。

4 马齿苋槟榔 茶

【原料】马齿苋50克,槟榔10克。

【做法】将马齿苋洗净,与槟榔同入砂锅,加水煎煮30分钟,去渣取汁,即成。每日2次。

【功效】适用于细菌性痢疾。

5 大蒜茯苓 粥

【原料】蒜头30克,茯苓20克,粳米100克。

【做法】先将蒜头瓣去外皮,切碎,捣烂成蓉;茯苓洗净后,晒干或烘干,研成细末,盛入碗中;粳米淘净后,放入砂锅,加水适量,先用大火煮沸,调入茯苓粉,拌和均匀,改用小火煨煮成稠粥,粥将成时,加蒜蓉,搅拌均匀,即可服食。每日2次。

【功效】适用于寒湿型细菌性痢疾。

6 糯米蒸大 虾

【原料】糯米50克,罗氏虾200克,盐、白糖、麻油各适量。

【做法】先将糯米用清水浸泡2小个小时,罗氏虾去壳,去尾。加入以上调料拌匀,用碗盛好。入炉蒸20分钟即可。

【功效】适用于慢性细菌性痢疾。

7 三丝冬瓜 卷

【原料】嫩冬瓜200克,火腿15克,冬菇15克,猪瘦肉15克,菜心30

头痛解决方法:放松心情和身体,闭上眼或到室外做些简易舒展运动,开窗让室内空气流通,听舒缓音乐。不要乱吃止痛片!

克,花生油 20 克,盐 6 克,味精 5 克,白糖 3 克,鸡精粉 5 克,水生粉适量,熟鸡油 5 克。

【做法】嫩冬瓜去皮、去籽、切长薄片;火腿切丝;冬菇切丝;猪瘦肉切丝;菜心改去老叶。火腿丝、瘦肉丝、冬菇丝加入少许盐、味精、水生粉拌匀,把三种丝用冬瓜片卷起待用。待蒸笼水开时放入卷好的冬瓜三丝卷,用大火蒸 5 分钟后,把菜心烫熟摆入旁边,另用锅烧油,倒入清汤,调入剩下的盐、味精、白糖、鸡精粉烧开,用水生粉勾芡,淋熟鸡油到冬瓜卷上即成。

【功效】适用于泻痢。

8 山药芡实粥

【原料】山药 100 克,芡实 20 克,粳米 100 克。

【做法】先将山药洗净,刨去外表皮,切成半月形的薄片。与淘净的芡实、粳米同入砂锅,加水适量,大火煮沸后,改用小火煨煮成稠粥。每日 2 次。

【功效】适用于脾肾两虚型细菌性痢疾。

9 扁豆芡实糕

【原料】白扁豆 200 克,芡实 200 克,山药 200 克,莲子 200 克,糯米粉 100 克,粳米粉 100 克,红糖 100 克,白糖 100 克。

【做法】先将白扁豆、芡实、山药、莲子分别洗净,晒干或烘干,共研成细粉,与糯米粉、粳米粉、红糖、白糖混和在一起,加水揉搓成 32 个粉团,用模具压成糕点,上笼,旺火蒸 30 分钟,凉凉后即成。每日 2 次,每次 4 块。

【功效】适用于脾肾两虚型细菌性痢疾。

十、肺部疾病

1 紫皮大蒜粥

【原料】紫皮蒜头 30 克,粳米 100 克,白芨 6 克。

【做法】先将白芨洗净,晒干或烘干,研成细末;将紫皮蒜头掰瓣后去外皮,洗净,放入洁净纱布袋中,扎口,在沸水中煮 1 分钟,捞出纱布袋,盛入碗中;粳米淘净,放入砂锅,加煮蒜头的沸水,小火煮成稠粥,即成。每日 2 次,每次调入 3 克白芨粉末。

【功效】适用于肺结核。

2 芥菜焖烧鸭

【原料】烧鸭件 150 克,葱白、蒜蓉、蚝油、绍酒、麻油、高汤、芡汤、花生油、烧鸭汁各适量。

【做法】起锅爆香蒜蓉、葱白,加入芥菜、烧鸭件炒香。喷入绍酒,注入高汤、烧鸭汁。小火焖 15 分钟,放入调料,再推入芡汤即可。

【功效】适用于慢性肺炎。

3 燕窝银耳羹

【原料】燕窝 6 克,银耳 30 克,冰糖 30 克。

【做法】先将燕窝、银耳用温开水泡发,拣去杂质,洗净后与冰糖同放

小贴士
有的中老年人卧床过久或久蹲起来后会因体位性低血压发生头晕,这时可吸足气用力咳嗽几声,促进心肺循环,使血液流入心脏。

入炖盅内,隔水蒸30分钟,至燕窝、银耳呈酥羹状,即成。每日2次。

【功效】适用于肺结核。

4 百合山药粥

【原料】百合50克,山药100克,粳米100克,冰糖20克。

【做法】先将山药洗净,刨去外表皮,切碎,剁成蓉;百合掰瓣,洗净,放入砂锅,加清水浸泡片刻,入淘净的粳米,大火煮沸,调入山药泥糊,拌和均匀,改用小火煮1小时,加冰糖后,煮至稠粥即成。每日2次。

【功效】适用于肺结核。

5 花生咸骨粥

【原料】大米、花生各50克,咸排骨100克,葱花、盐、花生油各适量。

【做法】咸排骨抹干净盐分,斩小件;花生用清水浸泡6个小时。将米用油和盐捞匀,与花生同倒入沸水里,用大火煲5分钟,改小火煲15分钟。加入排骨煲30

分钟,洒上葱花调味即可。

【功效】适用于肺结核。

6 鳖烧海参

【原料】鳖1只,水发海参250克,料酒、葱、姜、精盐、味精、胡椒粉各适量。

【做法】鳖宰杀后,去除鳖盖板和内脏、爪尖,放入沸水锅,加料酒、葱、姜,煮至五成烂时,捞出,拆骨留肉,备用;海参洗净后,切成片,入植物油烧至七成热的锅中,急火熘炒,加葱、姜、料酒,出锅,装入碗中。锅中注入汤汁,放入鳖肉及料酒、糖,加盖烧至鳖肉酥烂，再放入熘炒后的海参片，改用小火稍煮片刻，加精盐、味精、胡椒粉，搅拌均匀，用湿淀粉勾芡即成。佐餐。

【功效】适用于阴阳两虚型肺结核。

7 冰糖百合

【原料】百合150克，青梅30克，桂花3克，冰糖150克，白糖100克。

【做法】先将拣杂后的百合洗净，放入蒸碗内，加清水适量，入笼屉，大火蒸透，取出，沥去水。锅置火上，加清水适量，放入冰糖、桂花，小火煮，待冰糖溶化后调入白糖，煮至汁浓，加百合，再加洗净后切开的青梅，继续煮至百合、青梅漂浮时，即可饮用。

【功效】适用于肺结核。

8 虫草蒸鹌鹑

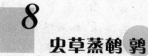

【原料】冬虫夏草15克，鹌鹑2只，葱花、姜末、精盐、胡椒粉各适量。

【做法】先将冬虫夏草拣杂、洗净，切成小段；将鹌鹑宰杀、洗净，砸断主骨，放入沸水锅中焯片刻，捞出后洗净，放入大蒸碗中。将冬虫夏草段、葱花、姜末放入鹌鹑腹内，用精盐、胡椒粉等佐料均匀抹在鹌鹑外表皮肤上，烹入料酒，上笼，大火蒸40分钟，即可食用。佐餐。

【功效】适用于肺结核。

9 虫草炖鲤鱼

【原料】冬虫夏草10克，鲤鱼肉250克，料酒、葱花、姜末、糖、酱油、精盐、味精、胡椒粉各适量。

【做法】先将冬虫夏草拣杂，洗净，切成小段；将鲤鱼肉放入清水中浸泡片刻，洗净，切成2厘米厚的肉段，入沸水锅中焯一下，取出，沥去水分，盛入碗中。锅置火上，加植物油，大火烧至八成热时下鲤鱼段，煸煎片刻，烹入料酒，加葱花、姜末，翻炒出香，加清水或高汤。用大火煮沸后放入虫草小段，加糖及酱油适量，改用小火炖40分钟，待鲤鱼肉熟烂如酥，加精盐、味精、胡椒粉等作料，再煮至沸，即可食用。佐餐。

小贴士

家有胃溃疡病人，别共用碗筷！幽门螺旋杆菌是导致胃溃疡的元凶，唾液里的幽门螺旋杆菌极易通过餐具在家庭成员中交叉传染。

【功效】适用于阴阳两虚型肺结核。

10 酒香文蛤粥

【原料】白粥 1 大碗，文蛤 300 克，葱白、姜丝、香菜、盐、麻油、胡椒粉、花雕酒各适量。

【做法】文蛤洗净，用花雕酒腌 1 小时，捞起滤干。将白粥煲开，放入文蛤小火煮 5 分钟。加入姜丝、香菜略煮，调味即可。

【功效】适用于肺结核咯血。

11 黑米杏仁粥

【原料】黑米 100 克，杏仁、百合各 15 克，冰糖适量。

【做法】黑米，淘净，注入清水 1 升，烧开，再将杏仁、百合分别洗净放入，慢熬至粥将成时，下冰糖，熬至糖溶粥成。每日 1～2 次空腹服。

【功效】适用于肺虚咳嗽、肺结核咳嗽、慢性支气管炎等症。

12 芭蕉花炖猪肺

【原料】芭蕉花 100 克，猪肺 250 克，姜片、精盐、味精、麻油各适量。

【做法】芭蕉花洗净沥干；猪肺挑除血丝气泡，洗净切块。同放锅中，加水 500 毫升，大火烧开后，撇去浮沫，加入姜片，转用小火炖至酥烂，下精盐、味精，淋麻油。每日 1～2 次，10～15 天为 1 个疗程。

【功效】适用于肺结核。

13 花椰菜汁蜂蜜饮

【原料】花椰菜 500 克,蜂蜜 100 克。

【做法】花椰菜洗净切碎,捣烂绞汁。加入蜂蜜,煮熟。每日 3 次,每次 50 毫升。

【功效】适用于咳嗽、肺结核等症。

14 冬瓜梨贝粥

【原料】糯米 100 克,冬瓜 200 克,雪梨 1 个切碎,川贝末 10 克,冰糖适量。

【做法】糯米加水 1 升,大火烧开,放入冬瓜和雪梨,小火慢熬至粥将成,加入川贝末和冰糖,继续熬至糖溶。每日 1～2 次,空腹服。

【功效】适用于肺结核咳嗽、干咳、久咳、咯血等症。

15 藕汁蜂蜜饮

【原料】鲜藕汁 150 毫升,蜂蜜 30 克。

【做法】鲜藕汁、蜂蜜调匀,1 次服完,每日 2 次。

【功效】适用于肺结核咳嗽、痰中带血、咽喉干痛、皮肤干燥、毛发干枯等症。

16 牛肺蒸川贝

【原料】牛肺 300 克,川贝母粉 15 克,白糖 30 克。

【做法】牛肺洗净剖开,把川贝母粉和白糖撒于肺叶内外,装于大瓷碗中盖好,隔水蒸熟。每日 1～2 次。

【功效】适用于肺结核咳嗽。

17 百贝鲤鱼汤

【原料】百合 30 克,百部、茅根各 20 克,川贝母 10 克,鲤鱼肉 250 克,姜片、精盐、味精、麻油各适量。

【做法】百合、百部、茅根、川贝母分别洗净,水煎 2 次,每次用水 250 毫升,煎 30 分钟,两次混合,去渣留汁于锅中,继续加热烧开;再将鲤鱼肉洗净切片,和姜片、精盐一起放入,煮至熟透,下味精,淋麻油。每日 1～2 次。

及早发现糖尿病:易疲劳、口干舌燥,感冒后常长疖疮或血压高,尿液白色、有甜酸气味,应去医院检查。

【功效】适用于治肺结核咳嗽、潮热、痰中带血等症。

18
蛋黄鸡菇

【原料】咸蛋黄 30 克，鲜鸡菇 150 克，红萝卜 10 克，生姜 10 克，香菜 10 克，花生油 20 克，盐 5 克，味精 6 克，鸡精 5 克，水生粉适量，麻油 5 克。

【做法】咸蛋黄切成粒；鲜鸡菇切去老根洗净；生姜去皮切米；香菜洗净待用；红萝卜去皮切粒。先在锅内加水，待水开时加入少许盐、味精、鸡菇，用小火煨透倒出。另烧锅下油，放入姜米、红萝卜粒、咸蛋黄粒煨炒至出香味，投入鸡菇，调入剩下的

盐、味精、鸡精，炒透后用水生粉勾芡，淋入麻油，摆上香菜，入碟即成。

【功效】适用于慢性肺炎。

19
百合炖汤

【原料】龟 2 只，百合 150 克，黄酒、姜片、精盐、味精、麻油各适量。

【做法】龟砍去头尾及脚爪，从腹甲边缘剖开，取出内脏，内外刮洗干净，放于砂锅中，注入清水 700 毫升，烧开后，撇去浮沫，加入百合、黄酒、姜片和精盐，炖至酥烂，下味精，淋麻油。每日 2～3 次。

【功效】适用于肺阴亏损型肺结核、咳嗽痰少、痰中带血、潮热盗汗、失眠、心烦、心悸等症。

20
鸭肉糯米粥

【原料】鸭肉 200 克，糯米 100 克，姜片、精盐、味精、麻油各适量。

【做法】鸭肉洗净切块，糯米淘净，同放于砂锅中，加水 1 升，烧开后，加入姜片和精盐，小火慢熬成粥，下味精，淋麻油，调匀。每

日 2～3 次,空腹服。

【功效】适用于病后体虚、肺结核潮热咳嗽、慢性肾炎水肿等症。

21 青杏膏

【原料】半熟鲜青杏 2 千克。

【做法】半熟鲜青杏去核、绞汁,小火慢熬成膏,每日 3 次,每次 1～2 匙,温服。

【功效】适用于肺结核咳嗽。

22 拔丝苹果

【原料】苹果 300 克,鸡蛋 1 个,花生油500 克,白糖 200 克,面粉 10克,干生粉 50 克。

【做法】苹果去皮去核,切成块,拍上干生粉少许,将鸡蛋打入碗内,加上面粉、干生粉、少许清水、少许油,用筷子搅成糊。在锅内下花生油,油温升至 100℃ 时,将苹果逐块挂上糊,下锅内炸成金黄色,待苹果浮起捞出,沥干余油。将锅洗净放火上,加少许清水,倒入白糖,待白糖汁变黄起小泡时,放入炸好的苹

果翻几次,盛入抹上油的盘中,配上凉水一碗即可。

【功效】适用于慢性肺炎。

23 鳜鱼百杏汤

【原料】鳜鱼 1 条,百合、甜杏仁各 20克,姜片、精盐、味精、麻油各适量。

【做法】鳜鱼削净切块;百合、甜杏仁温水润软。同放于砂锅中,注入清水 500 毫升,烧开后,加入姜片和精盐,小火煮至熟透,下味精,淋麻油。每日 1～2 次。

【功效】适用于肺结核潮热咳嗽、肺虚久咳、夜卧不宁等症。

感冒三忌:一忌多吃荤——引起消化不良;二忌洗澡——诱发重感冒;三忌烟酒——刺激呼吸道和消化道黏膜,加重上呼吸道感染症状。

24 松麦金柏膏

【原料】松子仁、金樱肉、枸杞各200克，麦冬250克。

【做法】松子仁、金樱肉、枸杞、麦冬分别洗净，水煎2次，每次用水800毫升，煎30分钟，两次混合，去渣，继续加热浓缩，下蜂蜜收膏。每日2次，每次1～2匙，温服。

【功效】适用于肺结核潮热、咳嗽、盗汗、心神恍惚、食欲不振、遗精、滑精等症。

25 玉菇蒸鸡

【原料】玉竹50克，香菇、冬笋片各30克，火腿片25克，母鸡1只，大黄酒、姜片、精盐、味精、麻油各适量。

【做法】玉竹洗净切片，用纱布包好；香菇、冬笋片、火腿片、母鸡刮净切块同放于大瓷碗中，加大黄酒、姜片和清水600毫升，盖好，隔水蒸至酥烂，下精盐、味精，淋麻油。每日2～3次。

【功效】适用于肺结核阴虚潮热、烦渴、尿频等症。

26 冰糖蒸甜瓜

【原料】甜瓜250克，冰糖适量。

【做法】甜瓜，不去皮核，洗净切片，放于大瓷碗中，加入冰糖和清水300毫升，盖好，隔水蒸熟。每日1～2次。

【功效】适用于肺结核咳嗽、咽干口渴。

27 鲜芥菜汁

【原料】鲜芥菜250克。

【做法】鲜芥菜捣烂绞汁，每日2～3次，每次50毫升。

【做法】适用于肺结核咳血。

28 鲜柿番茄浸醋

【原料】鲜柿500克，番茄250克，醋250毫升。

【做法】鲜柿、番茄分别洗净，沥干切片，同浸泡于醋中，密封埋地下

1个月取出。每日2次,每次食柿、番茄各2片,饮醋20毫升。

【功效】适用于肺结核。

29 银耳灵芝汤

【原料】银耳10克,香菇25克,灵芝10克,红枣10枚,猪瘦肉100克,姜片、精盐、味精、麻油各适量。

【做法】银耳、香菇分别水发去蒂,洗净撕碎;灵芝洗净去柄;红枣去核;猪瘦肉洗净切片;同放于砂锅中,注入清水500毫升,大火烧开后,加入姜片,转用小火炖至酥烂。下精盐、味精,淋麻油,单食或佐餐。

【功效】适用于肺结核、肾阴虚损、肝火上升、肺热、肺燥、干咳、痰中带血等症。

30 冬菇红枣煲鸭

【原料】干冬菇15克,红枣10克,老鸭350克,生姜10克,绍酒20克,盐10克,味精12克,白糖2

克,胡椒粉少许。

【做法】老鸭杀洗干净,去内脏,不砍、留整只,把腿骨砍断;红枣泡洗干净;干冬菇去蒂清洗干净;生姜去皮切片。烧锅加清水,待水开时放入老鸭煮去鸭内血水,捞起用清水冲洗干净。将瓦煲置火上,注入清水、绍酒,把鸭、姜片、冬菇、红枣放入,用小火煲约40分钟至鸭肉烂时,调入盐、味精、白糖、胡椒粉,再煲5分钟,盛入汤碗即成。

【功效】适用于肺结核。

31 燕麦粥

【原料】燕麦米100克,精盐、味精、麻油各适量。

【做法】燕麦米加清水800毫升,大火

每天大笑一刻钟保护心脏! 研究发现看15分钟喜剧电影,可带来45分钟的外周血管松弛和血流量增加,还能缓解神经压力。

烧开后,转用小火慢熬成粥,下精盐,味精,淋麻油,调匀。每日2次,空腹服。

【功效】适用于肺结核咳血、糖尿病等症。

32 虫草百合炖山瑞

【原料】山瑞1只,冬虫夏草10克,百合20克,鸡脯肉200克,姜片、黄酒、精盐、味精各适量。

【做法】山瑞洗净,沥干,切成小块;冬虫夏草、百合分别洗净沥干;鸡脯肉洗净切块。同放于砂锅中,注入清水800毫升,烧开后,撇去浮沫,加大姜片和黄酒,小火炖至酥烂。下精盐、味精,调匀。每日2次。

【功效】适用于肺结核潮热、咳嗽吐血、烦躁失眠等症。

33 松茅藕节汤

【原料】鲜松叶100克,鲜茅根、藕节各50克,仙鹤草25克。

【做法】鲜松叶、鲜茅根、藕节、仙鹤草,水煎2次,每次用水500毫升,煎30分钟,两次混合,去渣取汁。每日2～3次,每天1剂。

【功效】适用于肺结核咯血、鼻衄等症。

34 鲜百合汁

【原料】鲜百合300克,蜂蜜适量。

【做法】鲜百合捣烂绞汁,每日2次,每次30毫升,用蜂蜜调服。

【功效】适用于肺结核咯血、肺气肿等症。

35 鸡冠花猪肺汤

【原料】鲜白鸡冠花100克,猪肺1具,姜片、精盐、味精、麻油各适量。

【做法】鲜白鸡冠花洗净,装于纱布袋中,扎紧袋口;猪肺切碎。加水500毫升,大火烧开后,撇去浮沫,加入姜片,转用小火炖至酥烂,拣出鸡冠花,下精盐,味精,淋麻油。每日2～3次。

【功效】适用于肺结核咯血、吐血等症。

36

玉竹百莲 羹

【原料】玉竹 20 克，百合、莲肉各 15 克，冰糖适量。

【做法】玉竹、百合、莲肉加水 400 毫升，大火烧开，加入冰糖，小火熬至酥烂，每日 2 次。

【功效】适用于肺结核潮热、阴虚烦热、夜卧不宁、食欲不振等症。

37

清补凉煲凤爪

【原料】凤爪 400 克，猪排骨 200 克，红枣 10 克，枸杞 10 克，淮山 10 克，党参 10 克，生姜 15 克，盐 8 克，味精 10 克，绍酒 10 克，胡椒粉少许。

【做法】凤爪砍去爪尖；排骨砍成块；红枣、枸杞、淮山、党参泡洗干净；生姜切片。将瓦煲置火上，加入凤爪、排骨、绍酒、姜片、淮山、党参，注入清水用大火烧开，再改小火煲 3 小时。然后加入红枣、枸杞、盐、味精、胡椒粉，煲 30 分钟即可食用。

【功效】适用于肺结核。

38

荠菜炖猪肚

【原料】猪肚 1 个，荠菜 200 克，姜片、精盐各适量。

【做法】猪肚内外用盐、醋搓洗干净；荠菜洗净切碎，纳入猪肚内，用线缝合，同放于砂锅中，加入姜片、精盐和清水 600 毫升，大火烧开，转用小火炖至酥烂。每日 3～4 次。

【功效】适用于肺结核咳嗽、盗汗、胃及十二指肠溃疡等症。

39

百合 粥

【原料】粳米 100 克，百合、冰糖各

水果妙吃：电脑工作者吃梨对眼睛好；香蕉能缓解紧张情绪提高效率；葡萄有去痰作用；老人和孩子多吃猕猴桃提高免疫力。

适量。

【做法】粳米加清水1升,大火烧开,再将百合洗净和冰糖一起放入,小火慢熬成粥。每日1～2次。

【功效】适用于肺结核久咳、咳血痰壅、虚烦惊悸、热病后余热未清、烦躁失眠等症。

40
柠香鸭汤

【原料】老鸭1只,柠檬1个,红萝卜50克,姜块1块,食盐15克,白糖、胡椒粉各适量。

【做法】将老鸭洗净,斩件,飞水,去除血污;红萝卜切件;柠檬切片;姜块拍松。起锅注入适量清水烧沸,放入姜块、柠檬片和红萝卜件烧沸;再转入烧热的瓦煲

中,转小火煲1小时,刮去汤面浮油,用食盐、白糖、胡椒粉调味,盛入汤碗中即可。

【功效】适用于肺结核。

41
百合莲肉汤

【原料】百合、莲肉各50克,猪瘦肉200克,精盐、味精各适量。

【做法】百合、莲肉、猪瘦肉洗净切片。加水500毫升,大火烧开,小火炖至酥烂,下精盐、味精,调匀。每日1～2次。

【功效】适用于肺结核久咳、虚烦惊悸、失眠等症。

42
生地黄粥

【原料】生地黄50克,粳米100克,冰糖适量。

【做法】生地黄切片,水煎2次,每次用水150毫升,煎30分钟,两次混合,去渣留汁于锅中。再将粳米淘净放入,增加清水800毫升,慢熬至粥将成时,放入冰糖,熬至糖溶粥成。每日2次。

【功效】适用于阴虚火旺、热邪闭结及肺结核潮热、盗汗、舌红口干、大口吐血等症。

43 黄精炖冰糖

【原料】黄精100克,冰糖50克。

【做法】黄精、冰糖加水300毫升,煮30分钟,去渣取汁。每日2次。

【功效】适用于肺结核咳血、赤白带下等症。

44 慈姑蒸蜂蜜

【原料】生慈姑200克,蜂蜜、米泔水各适量。

【做法】生慈姑去皮、洗净,捣烂成蓉,加入蜂蜜和米泔水,同装于瓷碗中,调匀,盖好,隔水蒸熟。每日1~2次。

【功效】适用于肺结核咯血。

45 鲜藕萝卜汁

【原料】鲜藕、萝卜各500克,白糖适量。

【做法】鲜藕、萝卜,捣烂取汁,加入白糖,调匀。每日5次,每次20毫升。

【功效】适用于肺结核吐血。

46 藕节茅根

【原料】藕节200克,茅根100克,白糖适量。

【做法】藕节、茅根,加水600毫升,煎至300毫升,加入白糖,调溶。每日2~3次。

【功效】适用于肺结核咯血。

47 银沙百合羹

【原料】北沙参20克,百合15克,银耳10克,冰糖适量。

【做法】北沙参、百合、银耳加水400毫升,小火慢熬1小时,加入冰糖,熬至糖溶。每日2次服。

【功效】适用于气阴不足、心烦口渴、肺结核潮热、夜卧不宁等症。

小贴士

月经不调就可吃乌鸡白凤丸? 错! 乌鸡白凤丸补阳虚成分多,滋阴成分少,只有气血、阴阳两虚者才适用此药,不能随意服用。

48 猪胰青耆汤

【原料】猪胰2条,青耆10克,香菜末3克,清汤1千克,盐、姜酒汁、味精各适量。

【做法】猪胰洗净剪去其中的一条肥白片,切成大片用滚水先烫煮15分钟后捞出洗净。清汤加青耆、调味料先煮滚约5分钟后再放下猪胰续煮约2分钟,撒上香菜即可。

【功效】适用于肺结核。

49 银耳贝杏炖冰糖

【原料】银耳20克,川贝母、甜杏仁各

10克,冰糖适量。

【做法】银耳水发,洗净撕碎,加水800毫升,用小火慢熬成糊状时,再将川贝母、甜杏仁和冰糖捣碎放入,小火煮至糖溶。每日1~2次服。

【功效】适用于肺结核、支气管炎咳嗽、吐血等症。

50 猴头银耳汤

【原料】猴头菇30克,银耳10克,冰糖适量。

【做法】猴头菇、银耳用冷水泡开,除去蒂和杂质,同放于砂锅中,注入清水500毫升,大火烧开后加入冰糖,转用小火炖至糖溶。每日1~2次。

【功效】适用于肺结核久咳、气管炎咳喘、体虚自汗、咯血等症。

51 牛肺鲤鱼肉汤

【原料】牛肺250克,鲤鱼肉200克,姜片、黄酒、精盐、味精、麻油各适量。

【做法】牛肺洗净切块;鲤鱼肉,洗净切

片。同放于砂锅中，注入清水400毫升，烧开后，加入姜片和黄酒，煮至熟透，下精盐、味精，淋麻油。每日1～2次。

【功效】 适用于肺结核潮热、盗汗、虚咳带血等症。

52

沙参百合炖老鸭

【原料】 老鸭1只，北沙参、百合各30克，姜片、黄酒、精盐、味精各适量。

【做法】 老鸭洗净切块；北沙参、百合分别洗净沥干。同放于砂锅中加水700毫升，烧开后加入姜片和黄酒，小火炖至酥烂，下精盐、味精调匀。每日2次。

【功效】 适用于肺结核潮热、咳嗽、夜卧不宁等症。

53

冬瓜萝卜球

【原料】 冬瓜500克，红萝卜30克，白萝卜、生姜各10克，花生油500克，味精5克，白糖3克，三花奶15克，水生粉少许，蚝油10克。

【做法】 冬瓜去皮籽改成大圆块，在下面切"十"字花刀，深度为2/3；红、白萝卜去皮，用挖刀各挖6个圆球；生姜去皮切片。烧锅下油，待油温110℃时放入冬瓜脯，用中火炸至外金黄时捞起，用开水加生姜、蚝油煨透，摆入盘中间。红、白萝卜球用水煮熟捞起，摆入冬瓜脯周围，另烧锅下油少许，注入清汤，调入盐、味精、白糖、三花奶烧开，用水生粉勾芡，淋入冬瓜脯上即成。

【功效】 适用于慢性肺炎。

54

蛤蚧韭菜汤

【原料】 蛤蚧肉350克，韭菜250克，植物油、黄酒、姜丝、味精各适量。

老年痴呆警兆：转瞬即忘、顾前忘后、词不达意、时间和地点概念混乱、判断力降低、随手乱放物品、性格变化、失去主动性。

【做法】蛤蚧肉洗净切成片，加水 400 毫升，烧开后，下植物油，黄酒和姜丝，炖至酥烂时，再将韭菜洗净切段放入，菜熟即可，下味精，调匀。每日 1～2 次。

【功效】适用于肺结核虚弱、潮热、盗汗、糖尿病等症。

55

龙眼炒牛肉片

【原料】牛肉片 150 克，龙眼 100 克，荷兰豆、蒜蓉、生粉、葱白、白糖、麻油、盐、绍酒、芡汤、食用油各适量。

【做法】龙眼肉去壳，起肉，用盐水浸泡；牛肉用盐、生粉、绍酒、麻油略腌。起锅爆香蒜蓉、葱白、荷兰豆，加入牛肉片猛火炒 5 分钟，注入高汤、推入芡汤，加调料调味。撒入龙眼围边即可。

【功效】适用于肺病。

56

百贝炖龟

【原料】乌龟 1 只，大蒜 20 克，百部、川贝母各 15 克，鸡汤 1 升，精盐、味精各适量。

【做法】乌龟洗净切块；大蒜剥净；百部、川贝母洗净，纱布包好。同放于砂锅中，注入鸡汤，烧开后，小火炖至酥烂，拣出药纱袋，下精盐、味精，调匀。每日 2 次。

【功效】适用于肺结核低热、盗汗、久咳咯血等症。

57

土燕窝蒸百合

【原料】土燕窝 10 克，百合 20 克，冰糖适量。

【做法】土燕窝温水浸泡，拣出绒毛和杂质，洗净沥干，放于大瓷碗中，加入百合、冰糖和水 200 毫升，盖好，隔水蒸至酥烂。每日 2 次。

【功效】适用于肺结核咯血。

58
蛤蚧白发散

【原料】蛤蚧干 1 对，白发 100 克，蜂蜜适量。

【做法】蛤蚧干用酒擦拭干净；白发润软切薄片，分别焙干，共研末。每日 2 次，每次 15～20 克，用蜂蜜调服。

【功效】适用于肺结核咯血。

59
鲤鱼排骨汤

【原料】鲤鱼 500 克，猪排骨 300 克，大蒜 20 克，百合 20 克，百部、白芨各 10 克，精盐、味精各适量。

【做法】鲤鱼、猪排骨分别洗净切块；大蒜剥瓣去膜拍碎，百合洗净沥干；百部、白芨分别洗净，装纱布袋中，扎紧袋口。同放于砂锅中，加水 700 毫升，烧开后，撇去浮沫，小火炖至猪排骨酥烂。下精盐、味精，调匀。每日 2～3 次。

【功效】适用于肺结核咳嗽、痰中带血、低热、盗汗等症。

60
沙虫猪瘦肉汤

【原料】干沙虫 50 克，猪瘦肉 100 克，姜丝、精盐、味精、麻油各适量。

【做法】干沙虫洗净，纵切两半，再切成小段；猪瘦肉洗净切片，同放于砂锅中，注入清水 300 毫升，烧开后，加入姜丝和精盐，煮 20 分钟，下味精，淋麻油。每日 1～2 次。

【功效】适用于肺结核咳嗽、潮热、盗汗、消瘦等症。

61
核桃柿饼汤

【原料】核桃仁 150 克，柿饼 150 克，冰糖 50 克。

【做法】核桃仁搞成小颗粒；柿饼切成小丁，加入冰糖和水 200 毫升，隔水蒸 1 小时。每日 3 次，20 天为 1 个疗程。

【功效】适用于肺结核咳嗽、潮热、消瘦、肺虚久咳等症。

跳跃运动是预防骨疏松最佳方法！可单脚或双脚跳，每天坚持跳 50 下，也可跳绳，中老年人跳跃不可贪多，应循序渐进。

62
百合莲子汤

【原料】干百合400克（新鲜百合800克），去心新鲜莲子250克，清水4千克，冰糖250克。

【做法】干百合需浸水一夜后冲洗干净。（如为新鲜的直接洗净即可）。干莲子也要洗浸4小时。（如是新鲜的亦可直接洗净即可）。百合、莲子加清水、冰糖一起煮滚后，改小火续煮40分钟即可食用。

【功效】适用于肺气肿。

63
蛤士蟆甜羹

【原料】蛤士蟆200克，淀粉、糖桂花、糖玫瑰各10克，冰糖适量。

【做法】蛤士蟆洗净切块沥干加水500毫升，煮至熟透，下冰糖溶化均匀，调入湿淀粉勾芡，再加入糖桂花、糖玫瑰调匀。每日1～2次。

【功效】适用于肺结核盗汗、咳嗽、潮热等症。

64
清炖山瑞

【原料】山瑞1只，大黄酒、精盐、姜、葱、味精、麻油各适量。

【做法】山瑞砍去头尾及脚爪，从腹甲边缘剖开，取出内脏，洗净砍成小块；生姜洗净拍碎；葱洗干净打成结。同放于砂锅中，注入清水600毫升，烧开后，撇去浮沫，加大黄酒和精盐，小火炖至酥烂，拣出姜、葱，下味精，淋麻油。每日2次。

【功效】适用于体弱、气血两亏、头晕目眩、腰膝酸软、肺结核潮热、咳嗽

等症。

咳嗽、口干咽燥等症。

65 马茅莲枣汤

【原料】马兰、茅根各100克，莲肉、红枣各50克，冰糖适量。

【做法】马兰、茅根、莲肉、红枣水煎2次，每次用水500毫升，煎30分钟，两次混合，去渣取汁，加入冰糖，煮至糖溶。每日2次。

【功效】适用于肺结核吐血、夜卧不宁等症。

66 杏贝炖鳖

【原料】杏仁、川贝、知母各15克，鳖1只，姜片、黄酒、精盐、味精、麻油各适量。

【做法】杏仁、川贝、知母分别洗净，水煎2次，每次用水500毫升，煎30分钟，两次混合，去渣；将鳖洗净切块，和姜片、黄酒一起放入，继续炖至酥烂，下精盐、味精，淋麻油，每日1～2次。

【功效】适用于秋燥虚咳、肺结核潮热、

67 红枣百合汤

【原料】红枣50克，百合30克，白糖适量。

【做法】红枣、百合洗净，加清水800毫升，小火慢熬至酥烂，加入白糖溶化。每日1～2次。

【功效】适用于肺结核日久、咳嗽、食欲不振等症。

68 蜜饯白果

【原料】白果仁200克，蜂蜜700克。

【做法】白果仁去膜及胚芽，装于大瓷碗中，加入蜂蜜，盖好，隔水蒸3小时，取出趁热拌匀。每日3次，每次15～20克，温服。

【功效】适用于肺结核久咳。

69 核桃烙

【原料】红枣20颗，米粉40克，核桃仁100克，冰糖15克，清水

常用药忌口实录：抗生素——牛奶、果汁；钙片——菠菜；抗过敏药——奶酪、肉制品；止泻药——牛奶；苦味健胃——甜食；Vc——虾。

400 克。

【做法】红枣越大粒的越好,用水浸泡(事先清洗)4 小时后用小刀把籽取出,其肉全部用纱布包起来,慢慢用手搓揉使肉与皮分离,再放入清水中搓揉,让肉泥沉入水中,而不要的皮留于纱布内。将核桃仁皮剥去,将仁磨成泥屑,并加进红枣泥水中,再加入米粉、冰糖,用小瓦锅以中小的火力慢慢煮滚即可供食。

【功效】适用于肺气肿、肺心病。

70

鹿肉焖核桃仁

【原料】鹿肉 500 克,核桃仁 250 克,姜片、黄酒、酱油、精盐、味精各适量。

【做法】鹿肉洗净切块,放入开水锅汆一下,捞出,沥干血水;核桃仁洗净去膜。锅置旺火上,下油,烧至七成热,投入姜片爆香,再放鹿肉块和核桃仁,同炒均匀,烹黄酒,淋酱油,焖至入味后,注入适量清水,加盖,转用小火焖至肉酥汁浓,下精盐、味精,炒匀。单食或佐餐,每日 2~3 次。

【功效】适用于肺结核日久、消瘦、腰膝酸软无力等症。

71

百合冬花汤

【原料】百合 60 克,款冬花 15 克,冰糖适量。

【做法】百合、款冬花水煎 2 次,每次用水350 毫升,煎 30 分钟,两次混合,去渣留汁于锅中加入冰糖,煎至糖溶。每日 2~3 次服。

【功效】适用于肺结核咳嗽、痰中带血、老年慢性支气管炎咳喘等症。

72

黄精猪瘦肉汤

【原料】黄精 50 克,猪瘦肉片 150 克,生姜、精盐、味精、麻油各适量。

【做法】黄精切片，水 400 毫升，煎 30
分钟，去渣留汁于锅中，再将
猪瘦肉片、生姜放入，煮至熟
透，下精盐和味精，淋麻油，调
匀。每日 1～2 次。

【功效】适用于肺结核、病后体弱、产后
血虚等症。

73 竹荪鸽蛋汤

【原料】干竹荪 50 克，鸽蛋 2 只，鸡汤
300 毫升，味精适量。

【做法】干竹荪、鸽蛋蒸熟去壳，鸡汤烧
开后，放入竹荪和鸽蛋，煮熟，
调入味精。每日 1 次。

【功效】适用于肺结核、久病体弱等症。

74 银耳百合羹

【原料】银耳 15 克，百合 15 克，冰糖适
量。

【做法】银耳用冷水泡开，洗净，去蒂；
百合瓣开，洗净，撕去内膜。加
水 400 毫升，小火煮至黏稠，下
冰糖待溶。每日 1～2 次。

【功效】适用于肺结核久咳、咳唾痰血、咽

喉疼痛、虚烦心悸、失眠多梦
等症。

75 菠萝烙

【原料】菠萝半个，鸡蛋 3 个，面粉 150
克，葱花、食盐、番茄汁、牛油
各适量。

【做法】菠萝去皮，取肉用盐水略泡，切
碎。将鸡蛋打入碗中，加面粉、
葱花、牛油、食盐、适量清水搅匀
成浓浆，放入菠萝碎拌匀待用。
牛油起锅至六成热，均匀倒入菠
萝糊，慢火煎至两面金黄，铲出
切小件，用番茄汁蘸食即可。

【功效】适用于慢性肺炎。

十一、胃部疾病

1 蒜香骨

【原料】猪排骨 400 克，鸡蛋 1 个，葱白、松肉粉各少许，蒜蓉 50 克，食盐 2 茶匙，白糖、生抽、蒜香粉各、胡椒粉、吉士粉各适量，花生油 250 克。

【做法】将排骨洗净，斩件，沥干，加入食盐、生抽、白糖、蒜蓉、葱白、蒜香粉、松肉粉拌匀，用蛋清、吉士粉、胡椒粉拌匀腌制 4 小时，至排骨充分入味。起油锅至六成热，放入排骨件炸至金黄色至熟，上碟即可。

【功效】适用于胃胀、食欲不振。

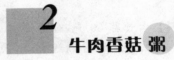

2 牛肉香菇粥

【原料】熟牛肉、香菇、糯米各 100 克，葱、姜、盐、味精各适量。

【做法】先将香菇用温水浸泡，然后将牛肉切成薄片，接着将香菇、牛肉、糯米一同加水煮粥，待粥将熟时加入葱、姜、盐、味精，续煮即成。每日 1 剂。

【功效】适用于慢性胃炎、反胃呕吐等症。

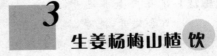

3 生姜杨梅山楂饮

【原料】生姜 15 克，鲜杨梅 30 克，山楂

80 克。

【做法】先将生姜洗净，切成片，与洗净的杨梅、山楂同放入碗中，加精盐、白糖适量，调拌均匀，浸渍 1 小时，并用沸水浸泡 15 分钟即可服食。每日 3 次。

【功效】适用于慢性胃炎。

4 青陈皮 粉

【原料】青柑皮 100 克，陈皮 100 克。

【做法】将青柑皮、陈皮洗净后晒干或烘干，共研成细粉，瓶装备用。每日 2 次，每次 6 克，温服。

【功效】适用于慢性胃炎。

5 山药麦冬粥
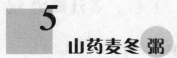

【原料】淮山药 50 克，麦冬 20 克，粳米 100 克。

【做法】将山药洗净，晒干或烘干，研成粗粉，备用；麦冬洗净后，放入砂锅，加水煎煮 20 分钟，用洁净纱布过滤，去渣取汁，备用。粳米淘净后放入砂锅，加水适量，先用大火煮沸，缓缓加入麦冬药汁，加山药粗粉，搅拌均匀，改用小火煮成稠粥。每日 2 次。

【功效】适用于慢性胃炎。

6 炒湿湿碎

【原料】猪五花肉 100 克，豆角 150 克，胡萝卜半根，萝卜脯 50 克，蒜蓉、白糖、生粉各少许，洋葱适量，食盐、生抽、高汤、生油、绍酒各适量。

【做法】花肉剁成肉碎。豆角、洋葱、胡萝卜、萝卜脯切成粒。起锅爆香蒜蓉，放入肉碎炒香，加放洋葱粒、豆角粒、胡萝卜粒、萝卜脯略炒，溅入绍酒，注入高汤，放入调料炒 5 分钟至熟，勾芡，加包尾油上碟即可。

【功效】适用于胃病。

含氟牙膏 6 岁儿童别用！牙齿还在发育，使用含氟牙膏会损害牙齿表面釉质，造成釉质矿化不全，导致氟斑牙，使牙齿发黄。

7 兰豆炒肚尖

【原料】猪肚尖半只,兰豆150克,姜片2片,葱白、松肉粉、食盐、绍酒、蚝油、生粉、食用油各适量。

【做法】先将肚尖洗净,切成三角形薄片,用食盐、松肉粉、生粉略腌待用。起锅爆炒肚尖至熟,盛起待用。起锅用油爆香葱白、姜片,加入兰豆略炒,放入肚尖,溅入绍酒,加入调料炒匀;待熟,用生粉勾芡,加包尾油上碟即可。

【功效】适用于胃溃疡。

8 干姜葱白红糖饮

【原料】干姜15克,葱白10克,红糖20克。

【做法】将干姜洗净,切片;鲜葱白洗净,切成小段;干姜先放入砂锅,加水适量,煎煮15分钟,加葱白段及红糖,继续共煮5分钟,用洁净纱布过滤,去渣取汁即成。每日2次。

【功效】适用于慢性胃炎。

9 姜汁蜂蜜饮

【原料】鲜嫩生姜50克,蜂蜜30克。

【做法】先将鲜嫩生姜洗净,切片,加温开水适量,捣烂,取汁调入蜂蜜,调匀即成。每日2次。

【功效】适用于慢性胃炎。

10 蜜饯鲜橘皮

【原料】新鲜橘皮500克,蜂蜜250克。

【做法】将新鲜橘皮外皮反复洗净,沥
水,切成细条状,浸渍于蜂蜜
中,腌制 7 天后即可食用。每
日 3 次,每次 10 克。
【做法】适用于慢性胃炎。

11 党参炒糯 茶

【原料】党参 20 克,炒糯米 30 克。
【做法】党参、炒糯米加水 300 毫升,
同煎至 150 毫升。隔天 1 次。
【功效】适用于胃及十二指肠溃疡、慢
性胃炎等症。

12 鲜牛蒡根 汁

【原料】鲜牛蒡根 500 克,蜂蜜适量。
【做法】鲜牛蒡根捣烂绞汁。每日 2～3
次,每次 2 汤匙,用蜂蜜调服。
【功效】适用于痉挛性胃痛、慢性胃炎
等症。

13 蚌粉红糖 饮

【原料】蚌粉 15 克,红糖适量。

【做法】蚌粉加红糖煎汤冲服,每日 3
次,每次 5 克。
【功效】适用于胃痛吐酸水。

14 葡萄酒甘蔗 汁

【原料】葡萄酒、甘蔗汁各 15 毫升。
【做法】葡萄酒、甘蔗汁混匀 1 次服
完,每日 2 次。
【功效】适用于慢性胃炎。

15 桑葚白术 汤

【原料】干桑葚 30 克,白术 10 克。
【做法】分别洗净,水煎 2 次,每次用
水 300 毫升,煎 30 分钟,两次
混合,去渣取汁。每日 2 次。
【功效】适用于慢性胃炎、腹胀、肠鸣、
嗳气等症。

16 蒜香 鸡

【原料】光鸡 1 只,蒜蓉、食盐、白糖少
许,生抽、老抽各适量,食用油
1000 克。

小 贴 士

常见疾病的冬季食疗:高血脂服用黑芝麻糊可控制病情;冠心病取黑、
白木耳各 10 克,加水和冰糖少量,蒸 1 小时后食用。

【做法】将光鸡眼球挖去,清洗干净,抹干水分,用调料加蒜蓉拌匀后,均匀的涂在鸡的周身腌30分钟。去除鸡身表面的蒜蓉,晾至干身。起锅烧油至六成热,放入光鸡炸至金黄色至熟,取出沥干油分;待凉,斩件上碟即可。

【功效】适用于胃病。

17

佛手金橘饼粥

【原料】佛手15克,玫瑰花5克,金橘饼30克,粳米100克。

【做法】先将金橘饼洗净,切成小块,备用;将佛手、玫瑰花同入砂锅,加水煎煮30分钟,去渣留汁;再将淘净的粳米,加清水适量,用大火煮沸后加入金橘饼块,改用小火熄煮成稠粥,粥成时加入佛手、玫瑰花煎汁,继续煮沸即成。每日2次。

【功效】适用于消化性溃疡。

18

山药红枣莲子羹

【原料】山药100克,红枣20枚,莲子100克。

【做法】先将山药洗净,去外表,剖成长条状,切成1厘米见方的小方丁;与洗净后泡发的红枣、莲子同入砂锅,加水适量,先用大火煮沸,改用小火煮1小时,待莲子、红枣酥烂时,可调入湿淀粉勾芡成羹,即成。每日2次。

【功效】适用于胃下垂。

19

茄干红枣汤

【原料】茄子150克,红枣10枚。

【做法】茄子切片晒干;去核红枣,加水400毫升,煎至200毫升。每日2次。

【功效】适用于慢性胃炎。

20 生姜 粥

【原料】粳米100克，生姜15克，红枣5枚。

【做法】粳米加水1升，烧开后，再将生姜洗净切丝，红枣洗净去核放入，慢熬成粥。每日2次，空腹服。

【功效】适用于慢性胃炎、呕吐清水、腹痛泄泻、慢性气管炎等症。

21 黄芪鲫鱼汤

【原料】黄芪30克，炒枳壳10克，鲫鱼250克，精盐、味精各适量。

【做法】先将炒枳壳洗净，切片，放入砂锅，加水煎煮2次，每次15分钟，合并两次煎汁，与清洗干净的鲫鱼同入砂锅，放入切成片的黄芪及清水适量，用大火煮沸，加料酒，改用小火煮30分钟，待鲫鱼肉熟烂，加精盐、味精，拌和均匀即成。佐餐。

【功效】适用于胃下垂。

22 玫瑰香附汤

【原料】玫瑰花10克，香附子15克。

【做法】玫瑰花、香附子水煎2次，每次用水150毫升，煎30分钟，两次混合。每日2次。

【功效】适用于慢性胃炎、胃胀痛等症。

23 参芪升麻粥

【原料】人参3克，黄芪30克，升麻15克，粳米60克。

【做法】先将人参晒干或烘干，研成细末；将黄芪、升麻洗净，切成片，放入砂锅，加水适量，浓煎2次，每次30分钟，合并2次煎液，与淘净的粳米同入砂锅，加清水适量，先以大火煮沸，改用小火煮成粥，粥将成时调入人参细末，拌匀即成。每日2次。

【功效】适用于胃下垂。

小贴士

吃饭千万别趁热！口腔、食道和胃黏膜一般只能受50～60℃的温度，食物太烫会损坏黏膜，导致急性食道炎和急性胃炎。

24 猪肚支竹汤

【原料】猪肚1个,支竹、鲜白果各50克,潮州酸菜100克,姜片3片,葱段3段,食盐、生粉、白胡椒碎、白醋、上汤、花生油各适量。

【做法】将猪肚用白醋、生粉反复搓洗,用清水洗净;支竹用温水浸发,切段;鲜白果飞水至熟,去皮;潮州酸菜漂洗干净,切片。起锅注入适量清水,放入猪肚中火煲15分钟至熟,晾凉斜刀切片。起锅爆香姜片、葱段,注入上汤,撒入白胡椒碎煮沸,放入猪肚片、白果、支竹段、酸菜片中火煲10分钟,加食盐调味即可。

【功效】适用于胃病。

25 黑枣蒸炙黄芪

【原料】黑枣100克,炙黄芪10克,橘皮2克,猪油、黄酒、白糖各适量。

【做法】将各药分别洗净,装于大瓷碗中,加入猪油、黄酒、白糖和清水200毫升,盖好,上锅隔水蒸1小时。取出黄芪和橘皮,每日1~2次。

【功效】适用于胃下垂。

26 莲肉荷叶蒂汤

【原料】莲肉100克,荷叶蒂5只,白糖适量。

【做法】将莲肉、荷叶蒂分别洗净,加水400毫升,煮至200毫升,取出荷叶蒂加白糖调溶。每日1~2次。

【功效】适用于胃下垂。

27 龙眼肉蒸鸡蛋

【原料】 龙眼肉 30 克，鸡蛋 1 个。

【做法】 先将龙眼肉加水 150 毫升，煮开后放冷，倒入碗中，然后将鸡蛋打入搅拌均匀，上锅隔水蒸熟。每日 2 次。

【功效】 适用于胃下垂。

28 龙眼姜枣饮

【原料】 龙眼肉 10 克，生姜 3 克，红枣 10 枚。

【做法】 将龙眼肉、生姜、红枣同入砂锅，加水适量，先用大火煮沸，改用小火煮 30 分钟即成。每日 2 次。

【功效】 适用于胃下垂。

29 菱角焖鱼松

【原料】 桂鱼 1 条，菱角 150 克，莴笋 50 克，红萝卜半根，鲜香菇 5 朵，鸡蛋 1 个、姜蓉、胡椒粉、食盐、生粉、蚝油、上汤、调和油各

适量。

【做法】 将桂鱼起肉，剁蓉；菱角飞水至熟，去壳；莴笋、红萝卜切片；鲜香菇去蒂、切碎；鸡蛋打透成蛋浆。将鱼蓉加鲜香菇碎、蛋浆、姜蓉、少许食盐、蚝油、生粉拌匀，搅打至起胶，制成鱼饼。放入鱼饼上笼蒸至熟，晾凉切厚片。起锅爆香姜蓉，放入红萝卜片、菱角略炒，注入上汤，放入鱼松片、莴笋下焖 3 分钟，用食盐、胡椒粉调味即可。

【功效】 润养脾胃，适用于胃癌。

30 猪腰芡实参芪汤

【原料】 芡实、黄芪各 50 克，党参 30

克,味精、麻油各适量。

【做法】芡实、黄芪、党参装于纱布袋中;猪腰1对洗净切片,同放于砂锅中,注入清水500毫升,烧开后,撇去浮沫,加入姜丝、精盐,小火炖至酥烂,拣出药纱袋,下味精,淋麻油。每日2次。

【功效】适用于肺脾气虚、胃下垂、脱肛、五更泄泻、遗精、慢性肾炎等症。

31

冬菜蒸肉饼

【原料】肉碎200克,冬菜30克,生粉、盐、白糖、蚝油、花生油各适量。

【做法】肉碎、冬菜、调味料拌匀。放入生粉再拌匀挤成饼状,在上面均匀涂上少许食油。隔水蒸10分钟,取出即成。

【功效】适用于食欲不振、胃呆纳差。

32

黄芪枳壳鲤鱼汤

【原料】鲤鱼1只,黄芪20克,炒枳壳10克,姜片、精盐、味精、麻油各适量。

【做法】黄芪、炒枳壳装纱布袋内,与鱼同放于砂锅中,注入清水500毫升,烧开后,撇去浮沫,加入姜片和精盐,小火煮至熟透,拣出药纱袋,下味精,淋麻油。每日1~2次。

【功效】适用于脱肛、胃下垂、气短、乏力等症。

十二、胆脏疾病

1 绿豆甘草饮

【原料】绿豆250克，甘草3克。

【做法】先将绿豆洗净，与切成片的甘草同入砂锅，加水适量，先用大火煮沸，改用小火熄煮90分钟，待绿豆熟烂如酥时，调入湿淀粉，煮至呈稀糊状即成。每日2次。

【功效】适用于慢性胆囊炎。

2 绿豆荷叶饮

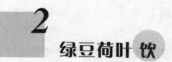

【原料】绿豆250克，鲜荷叶半张。

【做法】将鲜荷叶洗净，切成3厘米见方的荷叶块，放入砂锅，浓煎30分钟，用洁净纱布过滤，去渣留汁，备用。绿豆淘净后放入砂锅，加水适量，用中火煮至绿豆熟烂如花瓣状时，徐徐调入温热的荷叶浓煎汁，再改以小火煮至沸，即成。每日2次。

【功效】适用于慢性胆囊炎。

3 菱白炒肉丝

【原料】菱白250克，猪瘦肉150克，料酒、葱花、姜末、糖、酱油、精盐、味精各适量。

【做法】先将菱白洗净，斜刀剖成片后切丝，备用；猪肉洗净，剖片，切丝；放入植物油锅中，大火翻炒，烹入料酒，加葱花、姜末，加糖及酱油，馏炒后起锅，置碗中备用。净锅加植物油适量，烧至七成热时，加菱白丝，不断翻炒中，加熘炒出香的肉丝，加沸水适量，加精盐、味精，再翻炒片刻，即成。佐餐。

【功效】适用于慢性胆囊炎。

发烧别吃鸡蛋！蛋白质含量较高，发烧时食用会使体温升高，不利于病情恢复。发烧时可食用大米粥、菜泥粥等半流质食物。

4 冬菇云耳蒸虾

【原料】中虾 600 克,冬菇 6 朵(浸软),云耳 12.5 克(浸软),红萝卜 1 小个(切片),珍珠笋 50 克,蒜蓉、蒸虾汁、生粉各适量。

【做法】虾去股,尾部之虾股保留,挑去虾肠,洗干净,抹干水分。冬菇洗净,切去冬菇蒂;云耳洗干净。红萝卜、珍珠笋洗干净。把虾、冬菇、云耳、红萝卜片、珍珠笋放在碟上,下少许油拌搅,蒸 8 分钟至虾熟,把碟中的汁倒出留用。下油爆香蒜蓉,放入已蒸熟的虾、冬菇、云耳、红萝卜、珍珠笋兜炒,下蒸虾汁、生粉兜匀上碟即成。

【功效】适用于胆结石。

5 金钱草蜂蜜饮

【原料】新鲜金钱草 250 克,蜂蜜 30 克。

【做法】先将新鲜金钱草放入清水中浸泡片刻,洗净,取出沥去水,再转入温开水中浸泡 30 分钟,将金钱草切碎,连同适量的温开水,制成浆汁,用洁净纱布滤汁去渣,收取滤汁,将滤汁放入砂锅,微火煮沸,停火,趁温加入蜂蜜,拌和均匀即成。每日 2 次。

【功效】适用于慢性胆囊炎。

6 佛手山楂茶

【原料】佛手 10 克,山楂 20 克,香橼皮 10 克。

【做法】先将佛手、香橼皮、山楂分别反复洗净,切片或切碎,同放入砂锅,加水适量,先用大火煮沸,中火煎煮 20 分钟,去渣取汁。每日 2 次。

【功效】适用于慢性胆囊炎。

7 归芍螺肉汤

【原料】田螺 150 克,当归 20 克,赤芍 15 克,橘皮 10 克,螺肉、黄酒、姜片、精盐、味精、麻油各适量。

【做法】田螺取肉;当归、赤芍、橘皮分别洗净,水煎 2 次,每次用水 250 毫升,煎 30 分钟,两次混合,去渣,然后放入螺肉、黄酒、姜片和精盐,继续煮至熟透,下味精,淋麻油。每日 2 次。

【功效】适用于慢性胆囊炎、胃脘疼痛等症。

8 蚌肉玉米须汤

【原料】鲜蚌肉 150 克,玉米须 50 克。

【做法】加水 500 毫升,不加油盐,小火煮至熟透,去渣取汁。每日 2～3 次。

【功效】适用于糖尿病、高血压、胆囊炎、尿路感染、肾炎水肿、黄疸型肝炎等症。

9 玉米须金钱草汤

【原料】玉米须、金钱草各 30 克,郁金、姜黄、茵陈蒿、鸡内金、枳实各 15 克。

【做法】诸药加水 600 毫升,煎 30 分钟,同煎 2 次,两次混合,去渣取汁。每日 2～3 次。

【功效】适用于胆道结石。

10 蒲公英汤

【原料】鲜蒲公英 150 克。

【做法】鲜蒲公英洗净,水煎 2 次,每次用水 400 毫升,煎 20 分钟,两次混合,去渣取汁。每日 2～3 次。

【功效】适用于急性胆囊炎、慢性胆囊炎急性发作等症。

11 珍珠草猪肝汤

【原料】鲜珍珠草 60 克,猪肝 100 克,姜片、精盐、麻油各适量。

豆芽有抗癌作用,常吃豆芽可减少肺癌发生几率,但注意别吃无须根、茎粗短、顶芽小的豆芽,这种豆芽毒性强,有致癌性。

【做法】先将珍珠草洗净,水煎2次,每次用水400毫升,煎30分钟,去渣留汁于锅中,继续加热烧开;再将猪肝洗净切薄片和姜、盐放入,煮至熟透,淋麻油。每日1～2次。

【功效】适用于胆囊炎、胆石症等症。

12 二皮内金粉

【原料】青皮200克,陈皮100克,鸡内金100克。

【做法】将青皮、陈皮、鸡内金分别洗净,晒干或烘干,研成细粉末,拌和均匀,放入可密封防潮的瓶中,冷藏备用。每日2次,每次10克,温服。

【功效】适用于慢性胆囊炎。

13 清补凉煲猪尾

【原料】猪尾2条,清补凉1包,姜片2片,食盐、白糖、上汤、花生油各适量。

【做法】将猪尾用刀仔细刮净,切段,飞水去除腥味。起锅爆香姜片,放入猪尾段爆炒,注入上汤、清水,放入清补凉,用白糖调味,中火煮5分钟。转入烧热的瓦煲中,慢火煲20分钟至熟,放入食盐即可。

【功效】适用于胆囊炎。

14 薏苡金钱草汤

【原料】薏苡仁、金钱草各50克,柴胡、半夏、郁金、党参、丹皮、白芍各15克,甘草10克,白糖适量。

【做法】将各药分别洗净,水煎2次,每次用水500毫升,煎30分钟,两次混合,去渣取汁,每日2～3次。

【功效】适用于慢性胆囊炎、胃脘胀满或灼热、嗳气、小便时黄、大便时干时稀等症。

15 蚬肉茵陈汤

【原料】蚬肉150克,茵陈蒿50克,精盐、麻油、姜片各适量。

【做法】先将茵陈蒿洗净,水煎2次,每次用水400毫升,煎30分钟,两次混合,去渣留汁于锅中,继续加热烧开,再将蚬肉洗净和姜片、精盐放入,煮至熟透,淋麻油。每日1～2次。

【功效】适用于慢性胆囊炎、胆石症等症。

16 败酱茵金汤

【原料】败酱草、金钱草各50克,茵陈蒿30克,白糖适量。

【做法】将3药分别洗净,水煎2次,每次用水600毫升,煎30分钟,两次混合,去渣取汁,每日2～3次,调白糖温服。

【功效】适用于胆石症、慢性胆囊炎等症。

17 麻油核桃膏

【原料】核桃仁500克,冰糖500克,麻油适量。

【做法】核桃仁、冰糖捣成碎末,同放于大瓷碗中,加入麻油,拌匀,盖好,隔水蒸至溶化。每日3次,每次2匙,温服。

【功效】适用于胆石症、胆囊炎等症。

春天是过敏疾病好发季节,有慢性疾病或过 X 敏体质的人此时一定要忌口,忌服"发物",如虾、蟹、咸菜,否则旧病易复发。

十三、肝脏疾病

1 陈皮绿豆煲老鸭

【原料】老鸭1只,绿豆50克,红萝卜1根,姜片4片,陈皮1块,食盐、白糖、花生油、胡椒粉、料酒各适量。

【做法】将老鸭洗干净,斩件,飞水,去除血污及泡沫待用;红萝卜切块。起锅爆香姜片,放入老鸭,溅入少许料酒略炒,注入清水烧沸,放入陈皮、绿豆、红萝卜

煲1小时。用食盐、白糖、胡椒粉调味,装入汤碗中即可食用。

【功效】适用于肝炎。

2 紫茄饭

【原料】粳米150克,紫茄2个,精盐、味精、麻油各适量。

【做法】先将粳米加水300毫升烧开后,再将紫茄2个洗净切块,转用小火煮至熟,下精盐、味精,淋麻油拌匀。每日1～2次。

【功效】适用于黄疸型肝炎。

3 薏苡赤豆粥

【原料】赤小豆、薏苡仁各30克,白糖适量。

【做法】赤小豆、薏苡仁洗净,加水800毫升,烧开后,熬至酥烂时,再将白

糖放入,搅拌均匀,继续熬至糖溶粥成。每日 2 次,空腹服。

【功效】适用于黄疸。

4 大麦茵陈 汤

【原料】大麦 50 克,茵陈蒿 20 克,橘皮10 克。

【做法】水煎 2 次,每次用水 500 毫升,煎30 分钟,两次混合,去渣取汁。每日 2 次。

【功效】适用于黄疸型肝炎。

5 田螺糯米 粥

【原料】大田螺 20 个,糯米 100 克,黄酒、螺肉、姜丝、精盐、味精、麻油各适量。

【做法】大田螺用清水浸泡 2～3 天,取出螺肉。糯米与水 1 升,烧开后,加入黄酒、螺肉及姜丝和精盐,慢熬成粥,下味精,淋麻油,调匀。每日 2次,空腹服。

【功效】适用于黄疸型肝炎。

6 绿豆焖 鸭

【原料】番鸭半只,绿豆 100 克,香菇 5朵,红萝卜半根,姜片 2 片,葱段 2 段,食盐、白糖、老抽、上汤、花生油各适量。

【做法】将番鸭洗净,斩件,飞水;香菇用温水浸发,去蒂;红萝卜切菱形片。砂锅注入适量清水,用旺火烧开,放入绿豆,改用小火煲半小时至熟,倒去多余的水分待用。起锅放入番鸭件爆炒,放入香菇、红萝卜片及姜片、白糖略炒,注入上汤,放入绿豆,用中火焖 10 分钟至稔。放入葱段,用食盐、老抽调味拌匀至收汁即可。

小贴士

长期低盐饮食不一定益健康! 研究发现食盐量少的人发生心梗的人数比食盐多的人多 4 倍,科学摄盐量应为每日 6 克左右。

【功效】适用于肝硬化腹水。

7 荸荠茶

【原料】荸荠 250 克。

【做法】荸荠洗净去皮,切成薄片加水
600 毫升,煮熟后,食荸荠,汤
当茶饮。

【功效】适用于肝经热厥、黄疸湿热等
症。

8 荸荠柳树叶汤

【原料】荸荠 250 克,杨柳树叶 15 克。

【做法】荸荠削去皮,洗净切片;杨柳
树叶洗净沥干,加水 400 毫
升,煎至 250 毫升,拣出杨柳
树叶。每日 1～2 次。

【功效】适用于黄疸型肝炎。

9 田螺肉茵陈汤

【原料】茵陈蒿 15 克,臭草根、萆薢各
10 克,田螺肉 100 克,姜丝、黄
酒、精盐、味精、麻油各适量。

【做法】茵陈蒿、臭草根、萆薢,分别洗
净,水煎 2 次,每次用水 300
毫升,煎 30 分钟,两次混合,
去渣,将田螺肉洗净放入,加
姜丝、黄酒和精盐,继续煮至
田螺肉熟透,下味精,淋麻油。
每日 1～2 次。

【功效】适用于急性黄疸型肝炎。

10 龙胆泻甘粥

【原料】龙胆草、泽泻、车前子、木通、
栀子、黄芩各 15 克,甘草 10
克,粳米 100 克。

【做法】龙胆草、泽泻、车前子、木通、
栀子、黄芩、甘草,分别洗净,
水煎 2 次,每次用水 700 毫
升,煎 30 分钟,两次混合,去
渣留汁于锅中,再将粳米淘净
放入,慢熬成粥。每日 2 次,
空腹服。

【功效】适用于湿热黄疸、小便短赤
等症。

11 番薯粥

【原料】鲜番薯 250 克,粳米 100 克,白

糖适量。

【做法】 鲜番薯洗净连皮切粒,下粳米,加清水1升,一起烧开,转用小火慢熬成粥,下白糖,调溶。每日1~2次,空腹服。

【功效】 适用于湿热黄疸、维生素A缺乏症、夜盲、大便带血、便秘等症。

12 车前葫芦 茶

【原料】 鲜车前草、鲜葫芦各60克。

【做法】 水煎2次,每次用水400毫升,煎30分钟,两次混合,当茶饮。

【功效】 适用于急性黄疸型肝炎、急性肾炎、尿路感染等症。

13 云耳面筋焖花 肉

【原料】 五花肉250克,云耳、酸笋各50克,面筋100克,红萝卜半根,葱段5段,食盐、胡椒粉、老抽、上汤、花生油、生粉各适量。

【做法】 将五花肉飞水,切片;云耳浸发,去蒂;面筋切块;红萝卜、酸

笋切片。起锅爆香葱段,放入肉片,洒入老抽猛火快炒;注入上汤,放入红萝卜片、酸笋片慢火焖15分钟至花肉稔。放入云耳、面筋块,加食盐、胡椒粉调味炒匀;收汁勾芡,上碟即可。

【功效】 适用于慢性肝炎。

14 苜蓿茵陈 汤

【原料】 苜蓿、茵陈蒿各30克。

【做法】 水煎2次,每次用水300毫升,煎30分钟,两次混合,去渣取汁。每日2次。

【功效】 适用于黄疸型肝炎。

高烧不退勿滥用抗生素！发烧原因多样,如病毒感染、免疫力低下,把抗生素当退烧药,反会导致体内菌群失衡、高烧不退。

15

泡椒田鸡

【原料】田鸡3只,泡椒50克,葱段、生粉、蒜蓉、料酒、姜片、食盐、香醋、蚝油、花生油各适量。

【做法】先将田鸡宰好洗净,斩件,溅入料酒,加食盐和生粉略腌,待用。起锅烧油至六成热,放入田鸡拉油至熟,捞起,待用。起锅爆香泡椒、葱段、姜片和蒜蓉,放入田鸡炒匀,勾芡上碟。

【功效】适用于肝病。

16

茵陈蒿汤

【原料】茵陈蒿500克。

【做法】茵陈蒿水煎3次,每次用水800毫升,煎30分钟,3次混合,去渣留汁,加热浓煎至500毫升。每日3次,每次20毫升。

【功效】适用于肝炎。

17

茵陈红枣汤

【原料】茵陈蒿30克,红枣15枚。

【做法】茵陈蒿装于纱布袋中,扎紧袋口。红枣洗净去核,注入水500毫升,煎至300毫升,拣出药纱袋,每日1～2次。

【功效】适用于黄疸型甲肝。

18

茵陈板蓝根茶

【原料】茵陈蒿、板蓝根各30克,甘草10克。

【做法】水煎 2 次,每次用水 500 毫升,煎 30 分钟,两次混合,去渣取汁。当茶饮。

【功效】适用于肝炎。

19
陈皮佛手大麦粥

【原料】陈皮 20 克,佛手 20 克,大麦 100 克,红糖 20 克。

【做法】先将陈皮、佛手洗净,晒干或烘干,研成粗末;大麦拣杂后淘净,晒干或烘干,磨碎如粟米,入砂锅,加水适量,先用大火煮沸,调入陈皮、佛手粗末,改用小火煮 1 小时,待粟米样大麦粒酥烂,加红糖,煨煮至沸,调拌均匀即成。每日 2 次。

【功效】适用于各型肝硬化。

20
茵陈窝头

【原料】鲜嫩茵陈蒿 500 克,面粉 100 克,白糖适量。

【做法】鲜嫩茵陈蒿捣碎绞汁,加入面粉和白糖,揉匀,做成每个重约 25 克的塔形窝头,蒸熟。每日 2～3 次。

【功效】适用黄疸型肝炎。

21
米汤煮薇菜

【原料】鲜薇菜 250 克,精盐、味精各适量。

【做法】鲜薇菜用开水氽过,洗净切段。旺火快炒至散发出清香气时,再放米汤,烧开,下精盐、味精,调匀。每日 1～2 次。

【功效】适用于黄疸型肝炎、消化不良、食欲不振等症。

22
清拌薇菜

【原料】鲜薇菜 250 克,辣椒油、酱油、葱丝、味精各适量。

【做法】将薇菜用开水氽热,浸入凉水中过凉,用手摘去顶部卷曲的嫩叶及蓉毛,再另换清水浸泡至无苦涩味,挤干水分,切成 8 厘米半长的段,装于碗中,撒上葱丝、味精,淋辣椒油、酱油拌匀,腌渍入味。每日 1～2 次。

【功效】适用于黄疸型肝炎、尿血、二便不畅等症。

小贴士

茶水煮饭好处多! 茶叶中的茶多酚不仅可去腻,还可防微血管壁破裂而出血,抑制动脉粥样硬化、降血脂及防治心血管病。

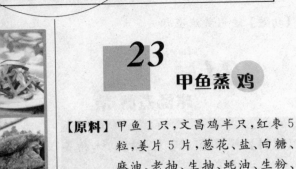

23

甲鱼蒸鸡

【原料】甲鱼1只,文昌鸡半只,红枣5
粒,姜片5片,葱花、盐、白糖、
麻油、老抽、生抽、蚝油、生粉、
绍酒各适量。

【做法】甲鱼、鸡分别斩件,加调料及姜
片腌10分钟。加入红枣,上碟
用猛火蒸20分钟左右。洒上
葱花即成。

【功效】适用于慢性肝炎。

24

山楂布楂叶茶

【原料】山楂、布楂叶各30克。

【做法】水煎2次,每次用水400毫升,
煎30分钟,两次混合,去渣,加
入蜂蜜,调匀。每日2~3次。

【功效】适用于急性肝炎、黄疸、肝脾肿
大、转氨酶增高、胃纳不佳、消
化不良等症。

25

蜜枣鸡骨草汤

【原料】蜜枣、鸡骨草各30克,猪瘦肉
100克,精盐适量。

【做法】蜜枣、鸡骨草水煎2次,每次用
水300毫升,煎30分钟,两次
混合,去渣,再将猪瘦肉洗净切
片放入,煮至熟透,下精盐,调
匀。每日2次。

【功效】适用于急性黄疸型肝炎。

26

双金猪肝汤

【原料】金针菇100克,金针菜50克,
猪肝片100克,姜丝、精盐、味
精、麻油各适量。

【做法】金针菇洗净切段;金针菜水发,
洗净去蒂;猪肝洗净切薄片。
加水300毫升,烧开后,先放金
针菇和金针菜,再烧开,放猪肝

片、姜丝、精盐。煮熟,下味精,淋麻油。单食或佐餐。

【功效】适用于肝炎。

27 马齿苋猪瘦肉 汤

【原料】鲜马齿苋 200 克,猪瘦肉 50 克,精盐、味精、麻油各适量。

【做法】鲜马齿苋洗净切段;猪瘦肉洗净切片。加水 400 毫升,大火烧开,煮熟,下精盐、味精、淋麻油。每日 1～2 次。

【功效】适用于病毒性肝炎、小便短赤、痢疾等症。

28 青瓜鲤 鱼

【原料】鲤鱼 1 条,青瓜半个,柠檬半个,盐、白糖、胡椒粉、蚝油、高汤各适量。

【做法】鲤鱼加入少许调料、柠檬汁拌匀略腌;青瓜切片飞水均匀辅在碟面。将鱼放入油锅煎至金黄色。煮沸高汤加入调料拌匀,淋上鱼身即可。

【功效】适用于黄疸肝炎、肝硬化腹水。

29 刺儿菜 汤

【原料】鲜刺儿菜全株 200 克。

【做法】鲜刺儿菜全株洗净切碎,加清水 400 毫升,煎至 200 毫升,去渣取汁。每日 1～2 次。

【功效】适用传染性肝炎、高血压等症。

30 薇菜翠衣 汤

【原料】薇菜 150 克,西瓜翠衣 100 克,精盐、味精、麻油各适量。

【做法】薇菜用开水氽过,浸入凉水中过凉,洗净切段,西瓜翠衣洗净切成小块,加水 400 毫升,烧开

小 贴 士

慎吃熏烤羊肉! 每千克烤羊肉所含致癌物苯并芘相当于 250 支卷烟毒性,实在想吃时可用微波炉烧烤;制作肉食最好蒸煮。

后,下精盐、味精煮成汤,淋麻油。每日1～2次。

【功效】适用于无黄疸型肝炎。

31 珍珠草猪肝汤

【原料】鲜珍珠草60克,猪肝片100克,姜丝、精盐、味精各适量。

【做法】鲜珍珠草加水600毫升,小火煎至300毫升,去渣留汁于锅中,再加入猪肝片、姜丝和精盐,继续加热煮至熟透,下味精,淋麻油。每日1～2次。

【功效】适用于急性传染性肝炎、小儿疳积、眼结膜炎等症。

32 红枣五味汤

【原料】红枣30克,五味子10克,冰糖适量。

【做法】红枣、五味子,加水500毫升,烧开后,小火炖至酥烂,下冰糖,炖至糖溶。每日1～2次。

【功效】适用于肝炎、血清谷丙转氨酶升高等症。

33 红枣垂盆草茶

【原料】红枣50克,鲜垂盆草500克,白糖适量。

【做法】红枣、鲜垂盆草,加水1升,煎至500毫升,拣出垂盆草,下白糖,调溶。每日2～3次。

【功效】适用于急性肝炎、低热烦躁、脾胃虚弱、食欲不振、体倦力乏等症。

34 蚂蚁茵虎汤

【原料】蚂蚁50克,茵陈蒿、虎杖各20克,大黄、栀子、板蓝根、贯众各15克,当归、川芎、甘草各10克。

【做法】用水煎服,每日2次。

【功效】适用于肝胆湿热、急性肝炎、乙型肝炎等症。

35 田鸡粥

【原料】白粥1煲,田鸡4只,姜片、葱

白、盐、麻油、胡椒粉、生粉各
适量。

【做法】田鸡洗杀干净、斩小件，加入生
粉、姜片、葱白拌匀略腌。将白
粥边搅拌边加热至沸，放入田
鸡，小火煲10分钟。

【功效】适用于肝硬化腹水。

36
冬瓜赤小豆 汤

【原料】带皮冬瓜250克，赤小豆
50克。

【做法】加水600毫升，大火烧开，小
火炖至酥烂，不加盐或糖。每
日1～2次。

【功效】适用于肝硬化腹水、慢性肾炎
腹水等症。

37
苦菜猪瘦肉 汤

【原料】苦菜、酢浆草各50克，精盐、味
精、麻油各适量。

【做法】苦菜、酢浆草分别洗净切碎，
装于纱布袋中，扎紧袋口。猪
瘦肉洗净切片。加水500毫
升，大火烧开，撇去浮沫，转用
小火炖30分钟，拣出药纱袋，
下精盐、味精，淋麻油，调匀。
每日2次。

【功效】适用于肝硬化。

38
菇枣鹌鹑 汤

【原料】鹌鹑2只，香菇、红枣各20克，
姜片、黄酒、精盐、味精、麻油各
适量。

【做法】鹌鹑2只洗净切块；香菇、红枣
同放于砂锅中，加水700毫升，
烧开后加入姜片和黄酒，小火
炖至酥烂。下精盐、味精，淋麻
油。每日2次。

【功效】适用于肝硬化、脾虚湿阻等
症。

经常性剧烈头痛可能是心脏病先兆！高血压常常会引起头面部、眼
睑、下颊等部位的疼痛，而高血压是引起心脏病的祸首。

39 麦芽青皮饮

【原料】麦芽 50 克，青皮 15 克，红糖适量。

【做法】麦芽、青皮水煎 2 次，每次用水 300 毫升，煎 30 分钟，两次混合，去渣留汁，加入红糖，熬溶。每日 2 次。

【功效】适用于肝硬化、胁腹胀痛、食欲不振等症。

40 黄豆丹参膏

【原料】黄豆 1 千克，丹参 500 克，蜂蜜、冰糖各适量。

【做法】黄豆浸泡一宿，捞出沥干，用清水 1 升，小火炖至酥烂时，去渣留汁。丹参水煎 2 次，每次用水 800 毫升，煎 30 分钟，两次混合，去渣留汁于锅中，加入黄豆汁，搅匀，用小火浓缩，加入蜂蜜和冰糖，慢熬成膏。每日 3 次，每次 1～2 匙，温服。

【功效】适用于慢性肝炎、肝硬化等症。

41 猪脾白花丹根

【原料】白花丹根 15 克，猪脾 1 具，姜片、精盐、麻油各适量。

【做法】白花丹根洗净切碎，水煎 2 次，每次用水 150 毫升，煎 30 分钟，两次混合，去渣留汁于锅中，再将猪脾洗净切块和姜片放入，继续煮熟，下精盐，淋麻油。每日 1～2 次。

【功效】适用于肝脾肿大、食欲不振等症。

42 猪脾杨桃

【原料】猪脾 1 具，杨桃 100 克，姜片、精盐、味精、麻油各适量。

【做法】猪脾、杨桃分别洗净切块，注入清水适量，烧开后，加入姜片和精盐，小火煮至熟透，下味精，淋麻油。每日 1～2 次，7 天为 1 个疗程。

【功效】适用于肝脾肿大。

43

粟米须豆芽猪血汤

【原料】黄豆芽100克,猪血200克,粟米须、黄豆芽、精盐、味精、麻油各适量。

【做法】黄豆芽去须,洗净切段,放锅中炒至身软取出。锅置旺火上,注入清水300毫升,烧开后,将猪血切成小块,和粟米须、黄豆芽放入,同煮至熟,下精盐、味精,淋麻油。每日1～2次。

【功效】适用于肝硬化、胸腹胀痛、小便不利等症。

44

归芪兔肉汤

【原料】兔肉500克,当归、黄芪各20克,黄酒、姜片、精盐、味精、麻油各适量。

【做法】兔肉洗净切块;当归、黄芪洗净切片,装于纱布袋中,扎紧袋口,同放于砂锅中,注入清水600毫升,烧开后,撇去浮沫,加入黄酒、姜片和精盐,炖至酥烂,拣出药纱袋,下味精,淋麻油。每日1～2次。

【功效】适用于慢性肝炎、肝硬化、形体消瘦、全身乏力等症。

45

红枣甲鱼粥

【原料】白粥1大碗,甲鱼1只,红枣30克,姜丝、姜片、葱白、盐、麻油、胡椒粉各适量。

【做法】甲鱼宰杀干净,用盐、麻油、姜丝腌20分钟;红枣浸发,去核切圈。将白粥加姜片煮至沸。加入甲鱼件同红枣圈煮约20分钟,洒上葱白、调料调味即可。

【功效】适用于慢性肝炎。

不叠床铺利健康！ 研究发现螨虫生长需被褥间的潮湿水分,而空气流通可加速水分蒸发,没叠起的床铺能限制被褥螨虫生长。

46

番薯叶雍菜汤

【原料】番薯嫩叶苗、雍菜嫩叶各150克,红糖适量。

【做法】番薯嫩叶苗、雍菜嫩叶加水400毫升,小火煮熟,下红糖煮至糖溶。每日2次。

【功效】适用于水膨腹胀、肝硬化腹水等症。

47

竹笋陈葫芦汤

【原料】竹笋、陈葫芦各100克。

【做法】竹笋、陈葫芦洗净切块,加水600毫升,煮至300毫升,去渣取汁。每日2次。

【功效】适用于肝硬化、腹水等症。

48

茵陈蒿粥

【原料】茵陈蒿50克,粳米100克,白糖适量。

【做法】茵陈蒿水煎2次,每次用水600毫升,煎30分钟,两次混合,去渣留汁于锅中。再将粳米放入,用小火慢熬成粥,下白糖,调匀。每日2次。

【功效】适用于急性传染性黄疸型肝炎、小便不利等症。

49

黄芪砂仁红枣粥

【原料】黄芪20克,砂仁6克,红枣10枚,粳米100克。

【做法】先将黄芪洗净,晾干,切成片;砂仁晒干,研成极细末;粳米淘净,与洗净的红枣同入砂锅,加水适量,先用大火煮沸,改以小火煨煮40分钟,调入砂仁末,加黄芪片及温开水适量,继续用小火煮30分钟,待红枣酥烂、粥稠黏时即成。每日2次。

【功效】适用于各型肝硬化。

50

猪胆绿豆丸

【原料】绿豆500克,猪胆汁4副。

【做法】绿豆洗净沥干,磨成粉,用猪胆汁拌匀,制成如绿豆大小丸,烘干装瓶。每日3次,每次6～9克,温服。

【功效】适用于肝硬化腹水、急性胃肠炎、痢疾、臌胀等症。

51

山楂橘皮红枣饮

【原料】新鲜山楂60克,新鲜橘皮20克,红枣10枚。

【做法】先将新鲜山楂、新鲜橘皮放入清水中,反复洗净,切碎后同入砂锅,加水浓煎2次,每次30分钟,合并2次煎汁,用洁净纱布过滤,收取滤汁,备用;红枣洗净后放入砂锅,加水适量,中火煮30分钟,加入温热的山楂、橘皮浓煎汁,继续用小火煨煮至沸,即可饮用。每日2次。

【功效】适用于各型肝硬化。

52

三色锦鱼丝

【原料】鲢鱼肉100克,火腿10克,韭菜花10克,韭黄10克,生姜10克,花生油300克,盐5克,味精5克,白糖2克,水生粉少许,麻油5克。

【做法】鲢鱼肉去皮切丝;火腿切丝;韭菜花切段;韭黄切段;生姜去皮

切丝。切好的鱼丝加入少许盐、味精、水生粉腌好,烧锅下油,待油温90℃时下入鱼丝,炸至八成熟时倒出。锅内留油,放入姜丝、火腿,调入剩下的盐、味精、白糖翻炒几次,加入鱼丝、韭黄,轻轻炒匀,然后用水生粉勾芡,淋入麻油,出锅入碟即成。

【功效】适用于肝炎。

53

鲤鱼赤豆汤

【原料】鲤鱼1条,赤小豆150克,料酒、葱花、姜末、精盐、味精各适量。

【做法】先将鲤鱼宰杀、洗净后放入砂锅,加足量水,先用大火煮沸,烹入料酒,加赤小豆,改用小火煮90分钟,待鲤鱼肉松烂、赤豆熟烂如酥,

儿童磨牙多因寄生虫引起或处换牙期;成人磨牙多因心理因素,一旦发现压力过大就要及时化解和疏通,严重者应及时就医。

加葱花、姜末、精盐、味精,继续用
小火煮10分钟,即成。佐餐。

【功效】适用于各型肝硬化。

54
香菇鸡

【原料】鸡1/2只,干香菇10朵,姜12片,
蒜头8粒,麻油15克,酱油15克,
米酒45克,糖5克,盐7克,水
1200克,枸杞、红枣、香菜各适量。

【做法】鸡洗净切块;干香菇泡水变软备
用。容器中倒入麻油,用高功率加
热1分半钟,放入鸡肉、蒜头、姜
片、枸杞、红枣再高功率加热5分
钟。加入香菇及调料味搅拌均匀
后,用高功率加热15分钟,于成菜
上撒些香菜叶作为点缀即可。

【功效】适用于急慢性肝炎。

55
黑鱼赤豆汤

【原料】黑鱼1条,赤小豆100克,料酒、葱
花、姜末、精盐、味精各适量。

【做法】先将赤小豆洗净,放入温开水中
浸泡1小时,备用;黑鱼宰杀后洗
净,入砂锅,加水足量,先用大火
煮沸,烹入料酒,加葱花、姜末,缓
缓加入浸泡的赤豆,改用小火煮
90分钟,待黑鱼肉、赤豆熟烂如酥
时,加适量精盐、味精,拌和均匀
即成。佐餐。

【功效】适用于各型肝硬化。

56
山楂蜂蜜饮

【原料】鲜山楂25克,蜂蜜10克。

【做法】将鲜山楂洗净,凉干,切成两半,
入锅,加水煎煮30分钟,停火放
凉后加入蜂蜜。每日2次。

【功效】适用于脂肪肝。

57
泽泻乌龙茶

【原料】泽泻15克,乌龙茶3克。

【做法】 先将泽泻加水煮沸 20 分钟，取药汁冲泡乌龙茶，即成。每日 1 剂。

【功效】 适用于脂肪肝。

58 山楂荷叶茶

【原料】 鲜山楂 25 克，鲜荷叶 1 张。

【做法】 将鲜山楂洗净，切碎；鲜荷叶洗净，切成小方块，与切碎的鲜山楂同入锅中，加水适量，浓煎 2 次，每次 15 分钟，合并 2 次煎液即可饮用。每日 3 次。

【功效】 适用于各型脂肪肝。

59 玉米油拌芹菜

【原料】 芹菜 300 克，玉米油 30 毫升，精盐、味精、五香粉各适量。

【做法】 将芹菜洗净，放入沸水锅中氽 2 分钟，取出切段，装入盘中，加玉米油、精盐、味精、五香粉适量，拌匀即成。佐餐。

【功效】 适用于脂肪肝。

60 玉米芯饮

【原料】 新鲜玉米芯 500 克。

【做法】 将玉米芯切碎，入锅，加水适量，先用大火煮沸，改用小火煎煮 40 分钟，去渣取汁。每日 2 次。

【功效】 适用于脂肪肝。

61 花生豆奶

【原料】 黄豆 50 克，花生米 20 克。

【做法】 将黄豆、花生米淘洗干净，用冷水浸泡 6 小时，待黄豆、花生米充分涨发，加清水 500 毫升，制成浆汁，用洁净纱布滤汁去渣，将滤液置锅中煮沸，即可饮用。每日 2 次。

【功效】 适用于脾气虚弱型脂肪肝。

62 橘皮仁粉饮

【原料】 橘皮 250 克，薏苡仁 300 克。

【做法】 将橘皮、薏苡仁洗净，晒干或烘干，共研成细粉，瓶装备用。每

磨牙发病因素：心理因素——恐惧；咬合不协调；全身因素——寄生虫、缺钙及胃肠功能紊乱；职业——要求精确性很高的工作。

日 2 次,每次 15 克,温服。

【功效】适用于痰湿内阻型脂肪肝。

63

芝麻芦笋

【原料】青芦笋 500 克,清水 800 克,黑芝麻 50 克,冰开水 1.5 千克(分 2 份),食盐、味精、酱油各适量。

【做法】芦笋把老茎切去并削去一些靠老茎处的笋皮,切成寸段洗净。清水加盐(50 克)煮滚放下切段的芦笋煮 2 分钟,捞出浸冰水中再换一次冰水,等完全凉透即可沥干水分备用。黑芝麻淘洗干净一次入净炒锅中用小火干炒香。芦笋先用调味料拌匀,撒上芝麻即可供食。

【功效】适用于肝功能不全。

64

党参茯苓扁豆粥

【原料】党参 10 克,茯苓 10 克,白扁豆 20 克,粳米 100 克。

【做法】将党参、茯苓洗净,切片,与白扁豆同入锅中,加水适量,煎煮 30 分钟,投入淘洗干净的粳米,用小火煮成稠粥。每日 2 次。

【功效】适用于脾气虚弱型脂肪肝。

65

葛花荷叶饮

【原料】葛花 15 克,鲜荷叶 60 克。

【做法】先将荷叶切成丝状,与葛花同入锅中,加水适量,煎煮 15 分钟,去渣取汁。每日 2 次。

【功效】适用于酒精肝。

66

粳米槐花粥

【原料】粳米 50 克,槐花 15 克,红糖适量。

【做法】粳米加水 800 毫升,大火烧开,再将槐花洗净放入,小火慢熬至粥将成时,下红糖适量,熬至糖溶粥成。每日1~2次,空腹服。

【功效】适用于脂肪肝。

67

清炒黄豆芽

【原料】黄豆芽250克,精盐、味精各适量。

【做法】黄豆芽去须根,洗净切段。旺火起锅,倒入黄豆芽,炒至稍软,铲出。再放油于锅中,烧至八成热,把半熟的黄豆芽放入翻炒至熟,下精盐和味精,炒匀。单食或佐餐。

【功效】适用于脂肪肝。

68

泥鳅 汤

【原料】泥鳅500克,清水1千克,老姜1片,陈皮1片,沙拉油、盐、味精、绍酒各适量。

【做法】泥鳅用清水冲洗干净,捞起沥干水分。陈皮浸水30分钟,取小刀刮去内皮白的部分。炒锅以中火入油加热后先放下姜炒

香,再放下泥鳅立刻加盖,等鱼不再翻跳后开盖加水,用时放入陈皮煮滚,续煮约20~30分钟即可食用,食前再放入调味料。

【功效】适用于急性黄疸型肝炎。

69

槐凌双花 茶

【原料】槐花、凌霄花各10克。

【做法】槐花、凌霄花温水略泡,洗净,煎去花蒂,同放茶杯中加入绿茶,用滚开水冲泡,加盖焖10分钟,频频饮用。

【功效】适用于脂肪肝。

小贴士

睡眠时有习惯性磨牙或白昼也有无意识磨牙习惯称为磨牙症,实际上与年龄关系不大,这是咀嚼系统的一种功能异常运动。

十四、肾脏疾病

1 白菜薏苡汤

【原料】薏苡仁 100 克,大白菜 250 克,精盐、味精、麻油各适量。

【做法】薏苡仁加清水 600 毫升,大火烧开,转用小火煮至酥烂时,再将大白菜洗净切段放入,煮至熟透,下精盐、味精,淋麻油。每日 1～2 次。

【功效】适用于急性肾炎、尿少、浮肿等症。

2 菊芋汤

【原料】菊芋 100 克。

【做法】菊芋洗净切成薄片,放入砂锅中,注入清水 500 毫升,煎至 200 毫升。每日 2 次。

【功效】适用于急性肾炎、小便不利、浮肿等症。

3 粳米冬瓜粥

【原料】粳米 100 克,冬瓜 200 克,精盐、味精、麻油各适量。

【做法】粳米加水 1 升,大火烧开,加入冬瓜,小火慢熬成粥,下精盐、味精,淋麻油,调匀。每日 2 次,空腹服。

【功效】适用于肾炎、小便不利、浮肿胀痛、肥胖症、肺热咳嗽、痰喘等症。

4 苦瓜鳝鱼汤

【原料】苦瓜 250 克,鳝鱼 150 克。

【做法】苦瓜去瓤,洗净切片;鳝鱼洗净,切段。加水 400 毫升,不加油盐,煮熟。每日 2 次。

【功效】适用于急性肾炎、血尿等症。

油 500 克。

【做法】 将鱼肉改成鱼球,加食盐略腌;青、红椒切件。将鸡蛋打入碗中,加入生粉、食盐做成蛋浆,放入鱼球,拌匀。起锅烧油至七成热,放入鱼球,炸至金黄色,捞起沥干油分,待用。起锅爆香蒜蓉,放入青红椒略炒,放入鱼球,用食盐、蚝油调味,注入高汤、生抽拌匀,上碟。

【功效】 适用肾炎水肿。

5

芦茅三豆饮

【原料】 鲜芦根、鲜茅根各 100 克,赤小豆、绿豆、黑大豆各 75 克。

【做法】 鲜芦根、鲜茅根、赤小豆、绿豆、黑大豆加清水 2 升,大火烧开,撇去浮沫,小火煮至豆烂,取汁。每日 1~2 次,每次 30~50 毫升。

【功效】 适用于急性肾炎、血尿、心烦口渴等症。

6

黄瓜番茄汁

【原料】 黄瓜 200 克,番茄 150 克。

【做法】 黄瓜、番茄洗净,榨汁。每日 1~2 次。

【功效】 适用于肾炎。

7

双椒鱼球

【原料】 鲤鱼肉 200 克,青椒、红椒各 2 个,鸡蛋 1 个,蒜蓉少许,食盐、生抽、蚝油、高汤各适量,花生

8

赤豆茅根粥

【原料】 赤小豆、粳米、茅根各 100 克,白糖适量。

世界流行食疗方:红茶防流感;牛奶防治支气管炎;蜂王浆防治关节炎;橘汁防治尿道感染;淀粉防肠癌。

【做法】先将茅根加水 1.2 升,煎 30 分钟,去渣留汁于锅中,再加入赤小豆、粳米,小火慢熬成粥,下白糖,调匀。每日 3～4 次。

【功效】适用于急性肾炎血尿、小便赤短、黄疸水肿等症。

9 榄菜肉碎酿葫芦瓜

【原料】猪肉 200 克,葫芦瓜 1 条,榄菜、姜末、白糖、食盐、生抽、蚝油、高汤、生粉各适量。

【做法】猪肉切碎、用生抽、食盐略腌。葫芦瓜去皮在 2/3 处剖开,挖心去籽,用淡盐水浸 10 分钟,捞起,沥干水分。将榄菜、姜末、猪肉碎加入调料调味,用生

粉拌匀,酿进葫芦瓜内,用另一部分葫芦瓜做盖,入炉猛火蒸 30 分钟;至熟,用蚝油、高汤勾芡淋于面上即可。

【功效】适用于慢性肾炎。

10 菠萝茅根汤

【原料】菠萝肉 100 克,茅根 100 克。

【做法】菠萝肉用盐水稍泡,洗净切片;茅根洗净切段加水 800 毫升,去渣。每日 2 次。

【功效】适用于急性肾炎。

11 西瓜茅根饮

【原料】西瓜 100 克,茅根 30 克。

【做法】西瓜连皮切片,茅根洗净切段,加水 400 毫升,煎至 200 毫升。每日 1～2 次。

【功效】适用于急性肾炎血尿、小便短赤等症。

12 参茶红枣粥

【原料】党参 30 克,白茯 15 克,红枣 15

枚,生姜 5 克,粳米 100 克。

【做法】先将党参、白茯苓、生姜分别
洗净后切成片,同放入砂锅,
加清水浸泡片刻,浓煎 2 次,
每次 30 分钟,合并两次滤
汁,盛入杯中,备用。红枣、
粳米淘洗干净,同放入砂锅,
加适量清水,煨煮成稠粥,粥
将成时,缓缓调入参茶浓煎
汁,拌匀,再煮至沸即成。每
日 2 次。

【功效】适用于慢性肾小球肾炎。

13

山药薏苡仁 粥

【原料】山药 60 克,薏苡仁 100 克,柿
霜饼 30 克,粟米 50 克。

【做法】先将山药洗净,晒干或烘干,研
成细末;柿霜饼洗净、切碎,盛入
碗中。将薏苡仁、粟米淘洗干
净,同入砂锅,加清水适量,大火
煮沸,改用小火煮 1 小时,待薏
苡仁、粟米酥烂,加切碎的柿霜
饼,并调入山药细末,拌和均匀,
再煮 10 分钟即成。每日 2 次。

【功效】适用于慢性肾小球肾炎。

14

鲜蔬鲫鱼 汤

【原料】鲫鱼肉 200 克,蘑菇 150 克,平
菇 100 克,红萝卜半根,小棠菜
2 棵,姜片 3 片,食盐、白糖、高
汤、色拉油各适量。

【做法】将蘑菇和平菇洗净,去蒂;红
萝卜去皮,切件;小棠菜开边
洗净,汆透,过冷水。起锅爆
香姜片,放入红萝卜件快炒,
注入高汤、清水煮沸,放入鱼
肉、蘑菇、平菇猛火煮 5 分钟;
用食盐、白糖调味,放入小棠
菜煮沸即可。

【功效】适用于慢性肾炎水肿。

运动擦伤可用凉水冲洗后贴护伤膏;肌肉拉伤可在痛处敷冰块或冷毛
巾;关节扭伤可先用冷毛巾冷敷,将受伤部位垫高。

15
菠萝焖鸡

【原料】光鸡半只、菠萝半个,洋葱、青红椒各1个,提子干50克,姜片2片,葱段3段,食盐、咖喱粉、绍酒、上汤、花生油各适量。

【做法】将光鸡洗净,飞水,斩件;菠萝取肉,切块;洋葱切片;青红椒切件。起锅爆香姜片、葱段,放入鸡件,溅入绍酒翻炒;注入上汤,一边倒入咖喱粉,一边搅拌至混合均匀,加食盐调味,小火焖10分钟至稔。改中火,放入菠萝块、洋葱片及青红椒件焖至收汁;上碟,撒上少许提子干即可。

【功效】适用于慢性肾炎。

16
山药扁豆桃仁粥

【原料】山药120克,白扁豆50克,核桃仁50克,粟米50克。

【做法】先将山药洗净,去外表皮,切片后剁成山药糊,盛入碗中;将核桃仁洗净、晒干,研成粗末;白扁豆、粟米拣杂、淘净后同入砂锅,加水浸泡片刻,大火煮沸,改用小火煮1小时,待白扁豆、粟米酥烂,调入核桃仁粗末和山药泥糊,拌和均匀,再用小火煨煮10分钟即成。每日2次。

【功效】适用于各型慢性肾小球肾炎。

17
冬瓜乌鱼粥

【原料】冬瓜250克,乌鱼1条,粟米100克。

【做法】先将冬瓜洗净,去籽,切碎,剁成冬瓜蓉;将乌鱼宰杀、洗净,入沸水锅中焯透,捞出,剔除乌鱼骨,把乌鱼肉剁成肉蓉。粟米淘洗干净,放入砂锅,加水适量,煮沸后改用小火煮30分钟,调入乌鱼肉蓉,继续用小火煮至粟米酥烂、乌鱼肉蓉熟烂，加冬瓜蓉，拌和均匀，再煮片刻，即成。每日2次。

【功效】适用于慢性肾小球肾炎、水肿等症。

18

赤豆薏苡仁饭

【原料】赤小豆60克，薏苡仁100克，粳米100克。

【做法】将赤小豆、薏苡仁分别拣杂、洗净后，同放入砂锅，加清水适量浸泡片刻，再加淘净的粳米，视需要可再加清水适量，按常法煮成饭食用。主餐。

【功效】适用于慢性肾小球肾炎。

19

菠萝焖鸡

【原料】子鸡半只，菠萝半个，洋葱1个，青椒2个，姜片5片，蒜片、胡椒粉、唥汁各少许，食盐、生抽、生粉、绍酒、上汤、调和油各适量。

【做法】将子鸡洗净，斩件，沥干水分，用食盐、生抽、唥汁略腌；洋葱切菱形件；青椒切件；菠萝去皮，取肉切件。起锅爆香姜片、蒜片，放入子鸡件，溅入绍酒猛火快炒；再加入洋葱件翻炒；洒入唥汁，注入上汤焖8分钟。放入菠萝件、青椒件拌匀；待收汁，勾芡上碟，撒入胡椒粉即可。

【功效】适用于肾炎等症。

服药后勿忘忌烟！烟碱可增加肝脏酶活性，加速药物降解，服药后半小时内吸烟药物有效成分降低20倍。

十五、心脏病

1 山楂鲜橘皮韭菜饮

【原料】山楂30克，鲜橘皮20克，韭菜30克，白糖适量。

【做法】先将山楂、橘皮分别拣杂洗净，山楂切片、鲜橘皮切碎，同入砂锅，加水煎煮30分钟，待其将酥时，再加入洗净后切成小段的韭菜，煮数沸后，过滤取汁，加糖调味。每日2次。

【功效】适用于冠心病。

2 薤白葱姜粥

【原料】薤白20克，葱白5根，生姜片5片，粳米100克，精盐、食糖各适量。

【做法】先将薤白、葱白洗净，切成细段；粳米淘洗干净，入砂锅，加清水适量、生姜片，大火煮沸后，改用小火煮至粥将成时，加薤白、葱白细段，拌和均匀，再煮数沸即成。每日早晨顿服。

【功效】适用于冠心病、心绞痛等症。

3 田七炖兔肉

【原料】田七10克，党参15克，兔肉200克，葱花、姜末、精盐、味精、料酒各适量。

【做法】先将田七洗净，晒干或烘干，研成细粉，备用；将党参拣杂洗干净，切片，用纱布袋装后扎口，与洗净后切块的兔肉同入砂锅，加水适量，大火煮沸，烹入料酒，加葱花、姜末，改用小火煮至兔肉酥烂，取出药袋，调入田七粉，并加精盐、味精，拌匀，再煮至沸即成。每日1次。

【功效】适用于冠心病、心绞痛等症。

4 红花檀香茶

【原料】红花3克,白檀香1克。

【做法】先将白檀香洗净,切成薄片;与红花同放入有盖杯中,用沸水冲泡,加盖焖15分钟即可饮服。每日3～5次。

【功效】适用于冠心病、心肌梗塞缓解期等症。

5 二仁芝麻糊

【原料】酸枣仁50克,桃仁150克,黑芝麻150克,蜂蜜150克。

【做法】先将酸枣仁晒干,除去小壳,研成细末;将桃仁晒干,炒熟,捣烂后研细;黑芝麻拣杂,淘洗干净,晾干,入锅,微火上不断翻炒至熟,趁热研成细末,与酸枣仁、桃仁细末充分拌和均匀,加入蜂蜜,调合成糊状即成,放入冰箱备用。每日2次,每次10克,温服。

【功效】适用于冠心病。

6 蜜汁香鸭

【原料】光鸭1只,鲜橙肉1只,什果粒、葱段各适量,蒜蓉20克,姜片5片,食盐、白醋、蜜糖、芡汤、清汤各适量,花生油1000克。

【做法】光鸭用蒜蓉、姜片、食盐、白醋、蜜糖腌2小时,挂起晾干,入油锅慢火炸至香酥,斩件排好碟中。橙肉切粒榨成鲜橙汁。清汤、鲜橙汁用小火煮沸,放入什果粒拌匀,勾芡后,淋于成品鸭上面即可。

【功效】适用于心脏病。

老人装上假牙后要多吃水果,这样可补充 V_c,防止缺牙区的牙龈组织出现萎缩或炎症,增强口腔组织对粗硬食物适应能力。

7

五彩苦瓜火鸭盅

【原料】烧鸭肉粒300克,苦瓜3根,荸荠(马蹄)粒、胡萝卜粒各50克,洋葱粒、花生米、蒜蓉、麻油、食盐、白糖、绍酒、烧汁、高汤、生粉各适量。

【做法】将苦瓜去籽,取出瓤,改成盅形,多余部分切粒,汆熟,过冷河。起锅爆香蒜蓉、洋葱粒、荸荠粒、胡萝卜粒、苦瓜粒、烧鸭肉粒。溅入绍酒,注入高汤略煮;加入调料调味炒匀,用生粉勾芡,滴入少许麻油,撒入花生米,然后将其倒入苦瓜盅内。在三个苦瓜盅中间加入苦瓜

盖,旁边伴上柠檬片即可。

【功效】适用于心脏病。

8

丹参蜂蜜饮

【原料】丹参30克,蜂蜜20克。

【做法】先将丹参洗净,晒干,切片,放入砂锅,加水1升,大火煮沸,改用小火煎至500毫升,过滤,去渣留汁,加入蜂蜜,调匀即成。每日2次。

【功效】适用于冠心病、心绞痛、心肌梗塞等症。

9

莲子粳米粥

【原料】干莲子30克,粳米100克。

【做法】先将干莲子用冷水泡发4小时,泡胀后去皮及莲子心,放入锅中,加水炖煮至莲肉熟烂;粳米淘洗干净,放入砂锅,加水适量,大火煮沸,调入熟烂的莲肉及汤汁,改用小火煮成粥。每日2次。

【功效】适用于病毒性心肌炎。

10 人参枣仁粥

【原料】白参 3 克，枣仁 10 克，粳米 100 克，冰糖 20 克。

【做法】先将白参研成细末；枣仁去除薄壳，研成细粉；将粳米淘洗干净，放入砂锅，加水适量，大火煮沸，调入白参粉、枣仁粉，改用小火煮成稠粥，粥将成时加入冰糖，煮至冰糖溶化，拌匀即成。每日 2 次。

【功效】适用于静脉血淤。

11 人参红枣龙眼羹

【原料】白参 3 克，红枣 15 枚，龙眼肉 15 克，蜂蜜 15 克。

【做法】先将白参研成细末；将红枣、龙眼肉分别洗净，红枣去核，与白参、龙眼肉同入砂锅，加水适量，用小火煮成稠羹，羹成时加入蜂蜜，调匀即成。每日 2 次。

【功效】适用于气阴两虚。

12 莲子茯苓糕

【原料】干莲子 300 克，茯苓 200 克，糯米粉 500 克。

【做法】先将干莲子用冷水泡发 4 小时，膨胀后去皮及莲子心，放入锅中，加水炖煮至莲肉熟烂，捞出，捣烂成蓉状；茯苓洗净，晒干或烘干，研成细粉；用糯米粉与莲肉蓉、茯苓粉搅拌均匀，加适量清水制成糕状，置于笼内蒸熟即成。当点心随意食用，或随餐食用。

【功效】适用于病毒性心肌炎。

13 参叶麦冬茶

【原料】人参叶 5 克，麦冬 30 克。

【做法】先将人参叶、麦冬分别洗净，晒干。人参叶研成粗末，与麦冬同放入有盖杯中，用沸水冲泡，加盖闷 15 分钟即成。

【功效】适用于冠心病。

吃肉不吃蒜，营养减一半！吃肉时吃点蒜能促进血液循环，提高 Vb1 吸收，对消除疲劳、增强体质、预防大肠癌也有良效。

十六、肛肠病

1 黑木耳炖柿饼

【原料】水发黑木耳30克,柿饼50克,红糖20克。

【做法】先将柿饼拣杂,洗净,切成小块。将水发黑木耳洗净,撕成小朵状,与柿饼小块同放入砂锅,加水适量,中火煮40分钟,调入红糖,溶化后拌匀。每日2次。

【功效】适用于痔疮。

2 番泻叶蜜饮

【原料】番泻叶10克,蜂蜜20克。

【做法】先将番泻叶拣杂,洗净,晒干或烘干,切碎,放入大杯中,用刚煮沸的水冲泡,加盖闷15分钟,用洁净纱布过滤,去渣取汁,趁温热加入蜂蜜,拌匀即成。每日2次,每次2小匙。

【功效】适用于肛裂、便秘者等症。

3 大黄决明子蜜饮

【原料】生大黄6克,决明子30克,蜂蜜20克。

【做法】先将生大黄、决明子分别拣杂,洗净,晾干或晒干,生大黄切成片,决明子敲碎,同放入纱布袋,扎紧袋口,入砂锅,加水浸泡片刻,用中火煎煮30分钟,取出药袋,趁温热加入蜂蜜,拌匀即成。每日2次。

【功效】适用于肛裂、肛门肿痛等症。

即可。

【功效】适用于内痔止血。

4 五仁粥

【原料】火麻仁15克,郁李仁15克,甜杏仁10克,桃仁10克,瓜蒌仁15克,粳米100克。

【做法】先将火麻仁、郁李仁、甜杏仁、桃仁、瓜蒌仁分别拣杂,洗净,同放入纱布袋中,扎紧袋口,与淘洗干净的粳米同放入砂锅,加水适量,大火煮沸,改用小火焖煮40分钟,取出药袋,继续用小火煮至粳米酥烂,粥黏稠即成。每日2次。

【功效】适用于肛裂、便秘等症。

6 麦麸核桃糊

【原料】麦麸600克,核桃仁400克。

【做法】将核桃仁拣杂,洗净,晒干或烘干,研成细末;将麦麸拣杂、晒干后入锅,微火炒熟,出香,停火,趁热脆状态研成细末,反复过筛,收集后放入容器,加入核桃仁细末,充分拌和均匀,收贮,备用。每日2次,每次50克。

【功效】适用于肛裂、便秘者等症。

5 秋葵炒鳝片

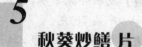

【原料】黄鳝段150克,秋葵件100克,青红椒丝、姜片、蒜蓉、白糖、食盐、高汤、蚝油、料酒、芡汤、花生油各适量。

【做法】起锅爆香蒜蓉、青红椒丝、姜片。加入黄鳝段、秋葵件,溅入料酒炒香,注入高汤,加入食盐、白糖、蚝油调味炒匀。略收汁,用芡汤勾芡,加包尾油

服维生素要忌口！ 服Va忌饮酒；服Vd忌食粥汤；服Vb1忌蛤蜊和鱼；服Vb2忌高脂肪和高纤维食物；服Vb6忌南瓜等含硼食物。

食 疗

7 酸梅焗肉蟹

【原料】酸梅15粒，肉蟹1只，芹菜、蒜蓉、姜片、盐、白糖、绍酒、高汤、芡汤、食用油、酸梅酱各适量。

【做法】将肉蟹斩杀洗净，用高温油炸至金黄。起锅爆香蒜蓉、姜片、芹菜，加入酸梅、肉蟹炒得九分熟。喷入绍酒、注入高汤、调料略煮，推入芡汤即可。

【功效】适用于慢性肠炎。

8 猪肠槐花汤

【原料】猪大肠300克，猪瘦肉150克，槐花50克，蜜枣2枚。

【做法】先将猪大肠洗净，再将洗净的槐花装进猪大肠内，扎紧两头，备用；将猪肉洗净，切成1厘米厚的长方块，与猪大肠、蜜枣一同放入砂锅，加水适量，大火煮沸，撇去浮沫，烹入料酒，加葱花、姜末、酱油，改用小火炖2小时，待猪肉、猪大肠熟烂如酥，汤汁黏稠，加精盐、味精，拌和均匀，捞起猪大肠，切开，取出槐花即成。佐餐。

【功效】适用于痔疮、便秘等症。

9 香蕉豆奶

【原料】成熟香蕉2根，豆浆100毫升，芹菜70克。

【做法】先将芹菜洗净，取芹菜茎，切成碎末；将香蕉剥去外皮，切成薄片状或切成小丁；将豆浆放入锅中，煮沸即停火，冷却后，与芹菜碎末、香蕉片充分拌匀，同放入榨汁机中榨成汁，用洁净纱布过滤，滤液注入杯中即可饮用。每日2次。

【功效】适用于肛裂、便秘等症。

10 苦参煮鸡蛋

【原料】苦参 10 克,鸡蛋 2 只,红糖 20 克。

【做法】先将苦参拣杂,洗净,切成片放入砂锅,加水浸泡片刻,用中火煎煮 30 分钟,过滤,取汁回入砂锅,加清水适量,大火煮沸,逐个磕入鸡蛋,并加入红糖,继续煮至蛋熟。每日 2 次。

【功效】适用于痔疮。

11 蚌肉丝瓜猪肉汤

【原料】新鲜蚌肉 100 克,鲜丝瓜 200 克,猪瘦肉 100 克。

【做法】先将新鲜蚌肉洗净,除去鳃瓣,切成块;将鲜丝瓜洗净,去皮,切成滚刀块;猪肉洗净后切成片,放入加植物油烧至七成热的炒锅,急火煸炒,烹入料酒,加蚌肉一起翻炒片刻,加鲜汤适量,改用小火煮 30 分钟,待蚌肉熟烂,加入丝瓜滚刀块以及葱花、姜末、精盐、味精、酱

油、红糖等作料,再煮 10 分钟,用湿淀粉勾薄芡,淋入麻油即成。佐餐。

【功效】适用于痔疮。

12 蜜饯无花果

【原料】鲜无花果 200 克,蜂蜜 100 克。

【做法】先将鲜无花果洗净,切成薄片,放入锅中加水煎煮至七成熟时,加入蜂蜜,拌和均匀,改以小火煮至无花果熟透,收汁后冷却,装瓶即成。每日 2 次,每次 25 克,温服。

【功效】适用于痔疮。

13 马齿苋藕汁

【原料】鲜马齿苋 500 克,嫩藕 500 克,稠米汤 100 毫升。

【做法】先将鲜马齿苋、嫩藕分别洗净,鲜马齿苋放入温开水中浸泡 30 分钟,嫩藕去藕节,切成小方块,与捞出的马齿苋同放入榨汁机中榨取汁,放入容器,调入稠米汤,拌匀即成。每日 2 次。

【功效】适用于痔疮出血。

小贴士

养肝小妙方:山楂加糖水煮;适量大枣煮烂食用;绿豆加冰糖水煮;牛肉煮浓汁或炖烂;多食牛奶、西红柿。

14

南瓜白鳝盅

【原料】白鳝 1 条，小南瓜 1 个，青椒角、红椒角、洋葱角、盐、白糖、生抽、蚝油、生粉、芡汤、食用油各适量。

【做法】切去南瓜盖，挖去瓤飞水 10 分钟，捞起待用。把白鳝斩成小段，拍生粉、炸至金黄色捞起。起油锅爆香青、红椒角、洋葱角，放白鳝，加调味料，煮 3 分钟推入芡汤炒匀，倒进南瓜盅放入焗炉焗成。

【功效】适用于痔疮痔漏。

15

海参阿胶饮

【原料】海参 200 克，阿胶适量。

【做法】先将海参拣杂，洗净，晒干或烘干，研成极细末，瓶装，备用。每日 2 次，每次取海参细末 1.5 克，另加阿胶末 6 克，拌和均匀，放入碗中，加水拌匀，隔水炖至溶化后，空腹以米汤冲服。

【功效】适用于痔疮出血日久、气血两虚等症。

16

马齿苋柿饼汤

【原料】马齿苋 50 克，柿饼 1 个。

【做法】马齿苋洗净切段；柿饼洗净，切块。水煎 2 次，每次用水 300 毫升，煎 30 分钟，两次混合去渣取汁。每日 2 次。

【功效】适用于湿热下坠型脱肛。

17

葛仙米白糖饮

【原料】鲜葛仙米 250 克，白糖水 400

毫升。

【做法】 鲜葛仙米洗净,烧白糖水趁热冲泡,热浸15分钟。每日2～3次。

【功效】 适用于久痢脱肛。

18

乌梅黄芪膏

【原料】 乌梅、黄芪各200克,红糖250克。

【做法】 乌梅、黄芪分别洗净,水煎2次,每次用水500毫升,煎30分钟,两次混合,去渣,用小火浓缩后,加入红糖,熬至浓稠收膏。每日2次,每次20克。

【功效】 适用于久痢脱肛、虚寒滑泻等症。

19

粉肠粥

【原料】 大米50克,猪粉肠100克,姜丝、葱花、盐、生粉、花生油各适量。

【做法】 粉肠用盐、生粉清洗干净,切段;用盐、姜丝、生粉略腌。将米用油和盐拌匀,倒入沸水,用大火煮10分钟,改小火煲30

分钟至粥状时,加入粉肠煮3分钟。加盐调味,洒入葱花即可。

【功效】 适用于痔疮、便血、脱肛等。

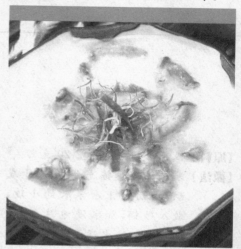

20

鲫鱼黄芪汤

【原料】 黄芪15克,鲫鱼250克,姜片、精盐、味精、麻油各适量。

【做法】 黄芪水煎2次,每次用水200毫升,煎20分钟,两次混合,去渣留汁于锅中,放入洗净切块鲫鱼,姜片和精盐,继续煮至鱼肉酥烂,调味精,淋麻油。分1～2次趁热食鱼喝汤。

【功效】 适用于脱肛、子宫脱垂、胃下垂等症。

小贴士

人到中年挑着吃:生吃番茄抗血栓;常喝骨汤抗衰老;喝葡萄酒防胃病;黑木耳防结石;草莓治失眠;南瓜子防前列腺病。

十七、关节、骨病

1 银花藤蜜饮

【原料】银花藤 60 克,蜂蜜 20 克。

【做法】采摘银花藤拣洗干净,晒干或烘干,切成 1 厘米长的小段,放入砂锅,加水浸泡片刻,视需要再加清水适量,大火煮沸后,改用中火煎煮 30 分钟,用洁净纱布过滤取汁,趁温热调入蜂蜜,拌匀即成。每日 2 次。

【功效】适用于风湿性关节炎。

2 辣椒煨牛蹄筋

【原料】尖头辣椒 10 克,牛蹄筋 500 克,胡萝卜 150 克,葱花、蒜末、精盐、味精、五香粉各适量。

【做法】先将牛蹄筋洗净,切成 3 厘米长的段,用料酒浸泡片刻,与姜片、八角、花椒同入锅中,加水适量,先用大火煮沸,再改以小火炖 90 分钟,待牛蹄筋烧至八成烂时,放入切碎的尖头辣椒及洗净切片的胡萝卜,继续用小火炖至牛蹄筋酥烂,加葱花、蒜末、精盐、味精、五香粉,再至沸,即成。佐餐。

【功效】适用于风湿性关节炎。

3 蜜汁木瓜

【原料】木瓜 1 个,蜂蜜 100 克,生姜 2 克。

【做法】先将木瓜洗净,去外表皮,剖开,去籽后切成片,放入砂锅,加水适量,大火煮沸,调入生姜末,拌匀,改用小火煮 10 分钟,趁温热调入蜂蜜,混合均匀即成。每日 2 次。

【功效】适用于风湿性关节炎。

4 威灵仙狗骨汤

【原料】威灵仙 20 克,狗骨 250 克。

【做法】先将威灵仙拣洗干净,晒干或烘干,切成片;将狗骨洗净,砸碎后,与威灵仙片同放入砂锅,加水适量,大火煮沸后,改用中火煎煮 1 小时,留取浓汁,即成。饮汤汁,每日 2 次。

【功效】适用于风湿性关节炎。

5 复方桑枝茶

【原料】新鲜桑枝 100 克,银花藤 30 克,威灵仙 30 克,海风藤 20 克,甘草 3 克。

【做法】先将采摘的新鲜桑枝拣杂,洗净后晒干,切成片;将银花藤、威灵仙、海风藤、甘草分别洗净,晒干或烘干,切成片,与桑枝片同放入砂锅,加足量清水,煎煮 30 分钟,过滤取汁。代茶饮,每日 2 次。

【功效】适用于风湿性关节炎。

6 烟肉石斑块

【原料】石斑鱼 400 克,烟肉 100 克,青瓜、食盐、白糖、姜汁酒、陈醋、食用油各适量。

【做法】将烟肉洗净切薄片,石斑鱼起肉切成块状;加入食盐、姜汁酒拌匀,略腌制约 15 分钟。青瓜切片放白糖、陈醋略腌,放碟四周。用烟肉卷起石斑鱼,落油锅煎至金黄色,即可上碟。

【功效】适用于关节炎。

7 滋补五元鸡

【原料】子鸡 1 只,枸杞、桂圆肉 10 克,

从食欲测疾病:见到油腻就恶心——可能患了肝炎;酒宴后出现胸闷、腹胀——多属伤食;暴饮暴食后上腹部剧烈疼痛——急性胰腺炎。

蜜枣 1 粒,莲子、红枣各 50 克,食盐、上汤各适量。

【做法】 将子鸡洗净,略飞水,待用;枸杞、莲子和红枣洗净,待用。起锅注入上汤,放入子鸡、枸杞、蜜枣、桂圆肉、莲子和红枣猛火煮 5 分钟,刮去泡沫。转慢火煲 30 分钟至熟,加食盐调味即可。

【功效】 适用于骨质疏松症。

8 羊骨韭菜粥

【原料】 羊骨 600 克,韭菜 50 克,生姜 15 克,粳米 100 克,葱花、料酒各适量。

【做法】 先将韭菜拣杂、洗净后,切成韭菜碎末,备用;将羊骨洗净,用刀背劈碎,放入锅中,加清水及葱花、姜末、料酒,中火煮 1 小时,待羊骨汤汁呈浓稠状,取羊骨汤汁,与淘洗干净的粳米同入砂锅,视需要再加清水适量,大火煮沸,调入生姜细末,改用小火煨煮成稠粥。每日 2 次。

【功效】 适用于老年人风湿性关节炎。

9 清炖乌梢蛇

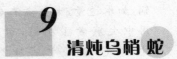

【原料】 乌梢蛇 1 条,料酒、葱花、姜末、精盐、味精、五香粉各适量。

【做法】 将乌梢蛇宰杀,去皮及内脏,洗净,切成 5 厘米长的段,备用。煨炖的砂锅中放入清水适量,上火烧至沸,放入乌梢蛇段,烹入料酒,加葱花、姜末,改用小火煮 1 小时,待乌梢蛇酥烂,加精盐、味精、五香粉,拌和均匀即成。佐餐。

【功效】 适用于风湿性关节炎。

10 三蛇酒

【原料】 乌梢蛇 1.5 千克,大白花蛇 200

克，蝮蛇 100 克，生地黄 500 克，冰糖 500 克，低度白酒 3 升。

【做法】先将乌梢蛇、大白花蛇、蝮蛇剁去头，用酒浸润，切成短节，干燥，备用；将生地黄洗净，晒干或烘干，切成片；冰糖放入锅中，加水适量，大火煮沸溶化，待糖汁成黄色时，趁热用一层纱布过滤取汁；将白酒装入酒坛，乌梢蛇、大白花蛇、蝮蛇、生地黄片直接倒入酒中，加盖，密闭，每天搅拌 1 次，浸泡 15 天后开坛过滤，调入冰糖汁，拌和均匀，再过滤 1 次，收取三蛇酒，瓶装，封口，即成。每日 2 次，每次 15 毫升。

【功效】适用于风湿性关节炎。

11 红花 茶

【原料】红花 20 克。

【做法】先将红花拣杂，用清水冲洗一下，放入砂锅，加水适量，中火煎煮 20 分钟，用洁净纱布过滤，取汁即成。每日 2 次。

【功效】适用于骨折初期。

12 赤小豆红糖 羹

【原料】赤小豆 100 克，红糖 20 克，红糖适量。

【做法】先将赤小豆拣杂，淘洗干净，放入砂锅，用温开水浸泡片刻，加清水适量，大火煮沸后，改用小火煮 1 小时，待赤小豆酥烂，调入红糖，搅拌均匀，继续用小火煮成羹糊，即成。每日 2 次。

【功效】适用于骨折初期。

13 归芎玫瑰花 饮

【原料】川芎 10 克，全当归 10 克，玫瑰花 10 克。

【做法】先将川芎、全当归分别洗净，晒干或烘干，切成片，与玫瑰花同入砂锅，加水适量，中火煎煮 20 分钟，用洁净纱布过滤取汁，即成。每日 2 次。

【功效】适用于骨折初期。

从食欲上测疾病：见食生厌或吃些油腻食物就腹泻者——肠胃消化机能不良；不思饮食，口淡无味，鼻塞头痛——风寒感冒。

十八、皮肤病

1 金银菜煲小肚

【原料】猪大骨500克,瘦肉100克,猪小肚1个,红萝卜块100克,粟米1根,菜干50克,小棠菜100克,姜块2块,食盐适量。

【做法】将猪大骨敲碎,飞水,刮去杂物;猪小肚用食盐反复搓净与瘦肉一同飞水;粟米切段;小棠菜飞水。起锅倒入适量清水煮沸,放入猪大骨及姜块熬1小时,弃去猪骨及姜块。转入瓦煲,放入猪小肚、瘦肉块、粟米段、红萝卜块、菜干煲50分钟;用食盐调味,拌入小棠菜即可。

【功效】滋阴养颜,适用于皮肤干燥无华症。

2 苦瓜泥

【原料】新鲜苦瓜500克,红糖25克,白糖25克。

【做法】先将新鲜苦瓜洗净,去瓤、籽,切碎,捣烂成泥糊状,放入碗内,加红糖、白糖,拌和均匀,即成。每日2次,温服。

【功效】清热败火、美容养颜。

3 荷叶青蒿饮

【原料】鲜荷叶30克,青蒿10克,野菊

花 10 克, 薄荷 10 克, 蜂蜜 20 克。

【做法】先将鲜荷叶、青蒿、野菊花、薄荷分别拣杂, 洗净, 凉干或晒干, 荷叶、青蒿切碎, 与野菊花、薄荷同放入砂锅, 加水适量, 煎煮 30 分钟, 用洁净纱布过滤取汁, 放入容器, 趁温热加入蜂蜜, 拌匀即成。每日 2 次。

【功效】适用于痱子。

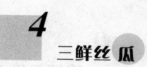

4 三鲜丝瓜

【原料】鲜嫩丝瓜 250 克, 嫩豇豆 100 克, 番茄 100 克, 食用油、精盐、味精、淀粉、麻油各适量。

【做法】先将鲜嫩丝瓜洗净, 刮去外表皮, 切成 3 厘米长的条; 将嫩豇豆拣杂, 洗净, 去两端, 摘成 3 厘米长的豇豆段; 将番茄用清水反复洗净外表皮, 切成扇形片。炒锅置火上, 加植物油烧至六成热时, 放入丝瓜条、豇豆段, 急火翻炒, 加鲜汤适量, 改用小火焖 5 分钟, 倒入番茄片, 推匀, 继续用小火烧煮 5 分钟, 加精盐、味精, 并用湿淀粉勾薄芡, 淋入麻油, 即成。佐餐。

【功效】滋阴润肤。

5 银花紫草茶

【原料】金银花 10 克, 紫草 5 克。

【做法】先将金银花拣杂, 洗净; 将紫草拣杂, 洗净, 切片, 晒干或烘干, 与晒干的金银花同放入有盖杯中, 用沸水冲泡, 加盖闷 15 分钟即可开始饮用。当茶, 频频饮用, 一般可冲泡 3~5 次。

【功效】适用于肝火型中老年带状疱疹。

6 草果肘子

【原料】猪肘 1 个, 草果 1 个, 八角 1 粒, 丁香、葱花各少许, 姜片 3 片, 食盐、白糖、老抽、橙汁、上汤各适量, 花生油 1000 克。

【做法】将猪肘上的毛刮净, 飞水, 用净布抹干水分, 涂老抽上色。起油锅烧至八成热, 放入猪肘浸炸至酱红色, 捞出沥干油分。起锅煎香八角、丁香、草果, 待逸出香味后, 注入上汤, 放入猪

人生健康伴侣: 菠菜助发育、保护视力; 西红柿有防癌美白作用; 巧克力能使人变得快乐; 马铃薯可护脾胃; 蘑菇助减肥。

肘、姜片、葱花，加食盐、白糖调味，焖 50 分钟至稔，上碟。用少许原汁及橙汁勾芡，撒入葱花，淋于猪肘上即可。

【功效】适用于面黄肌瘦、皮肤粗糙等。

7 金银花薄荷茶

【原料】金银花 15 克，薄荷 5 克，蜂蜜 10 克。

【做法】先将金银花、薄荷分别拣杂，洗净，晒干或烘干，同放入大杯中，用沸水冲泡，加盖闷 15 分钟即可饮用。当茶，频频饮用，一般可冲泡 3～5 次，蜂蜜可随饮用次数酌量添加，拌匀服用。

【功效】适用于痱子。

8 鸡鸣散蜜饮

【原料】鸡鸣散 100 克，蜂蜜 10 克。

【做法】将鸡鸣散装入绵纸袋中，封口挂线，放入杯中，用沸水冲泡，加盖闷 10 分钟即可开始饮用。每日 2 次，服时可加适量蜂蜜。

【功效】适用于痱子。

9 凉拌西瓜皮

【原料】西瓜皮 500 克，精盐、酱油、白糖、味精、麻油各适量。

【做法】先将西瓜皮削去表皮和残剩的内瓤，洗净后细切成薄片，放入大碗中，加适量精盐拌和均匀，掩渍片刻，挤去多余的水分，加酱油、白糖、味精、麻油等作料，拌匀即成。佐餐。

【功效】适用于痱子。

疤疹。

10 绿豆海带汤

【原料】 绿豆 50 克,海带 30 克,红糖 10 克。

【做法】 先将绿豆拣杂,淘洗干净;将海带放入清水中浸泡 4 小时,洗净,切成海带丝,用清水冲洗后,与绿豆同放入砂锅,加水煤煮至绿豆酥烂,汤汁黏稠,加入红糖,溶化后拌匀即成。每日 2 次。

【功效】 适用于痱子。

11 薏苡仁荸荠羹

【原料】 薏苡仁 100 克,生荸荠 100 克,蜂蜜 20 克。

【做法】 先将薏苡仁拣杂,洗净,晒干或烘干,研成细粉;将生荸荠洗净,除去外皮,切成片,晒干或烘干,研成细粉,与薏苡仁粉混合均匀,入锅,加水适量,调成稀糊状,用小火炖,边炖边调,羹将成时加入蜂蜜,拌匀,离火即成。每日 2 次。

【功效】 适用于脾湿型中老年带状

12 煎蒸带鱼

【原料】 带鱼 200 克,盐、白糖、生粉、花生油各适量。

【做法】 将带鱼同调料拌匀腌 10 分钟。浇油锅慢火煎香两面成金黄色至熟。放入炉蒸 5 分钟即可。

【功效】 适用于皮肤粗糙、干燥。

13 莲子赤豆茯苓羹

【原料】 莲子 30 克,赤小豆 30 克,茯苓 30 克,蜂蜜 20 克。

【做法】 先将莲子、赤小豆、茯苓分别拣

单靠钙片补钙不科学！补钙在于调整膳食,牛羊乳及乳制品为最好,100 毫升牛奶含 100 毫克钙,不仅含量丰富且吸收率高。

杂,洗净;将茯苓晒干或烘干,研成细末;莲子放入温开水中浸泡片刻,去皮及心,与淘净的赤小豆同放入砂锅,加水适量,大火煮沸后,改用小火煮至莲子、赤小豆熟烂如泥,边搅拌边调入茯苓细末,直至成羹,离火,趁温热加入蜂蜜,拌匀即成。每日2次。

【功效】 适用于脾湿型中老年带状疱疹。

14

马齿苋炒肉丝

【原料】 鲜马齿苋400克,猪瘦肉100克,鸡蛋1个,植物油、料酒、精盐、味精、蛋清、葱花、姜末各适量。

【做法】 取鸡蛋清放入碗中,用竹筷搅打成蛋清蓉,备用;将鲜马齿苋拣去杂质,洗净,入沸水锅中稍焯,捞出,用冷水冲凉,码齐,切成3厘米长的段;将猪肉洗净,切成丝,放入碗中,加料酒、精盐、蛋清蓉拌和均匀。炒锅置火上,加植物油烧至六成热,加适量葱花、姜末煸炒出香,即投入粘浆的肉丝,熘散,烹入料酒,并加鲜汤适量,翻炒中加入

马齿苋段,熘翻均匀,加精盐、味精,用湿淀粉勾芡翻炒,淋入麻油即成。佐餐。

【功效】 适用于脾湿型中老年带状疱疹。

15

银花藤绿豆汤

【原料】 金银花藤30克,绿豆60克。

【做法】 先将金银花藤拣杂,洗净,凉干;切成碎小段,放入砂锅,加水浸泡片刻,煎煮30分钟,用洁净纱布过滤取汁,放入砂锅,加入淘洗干净的绿豆,用小火煮至绿豆熟烂如泥,汤汁稠浓即成。每日2次。

【功效】 适用于风热型皮肤瘙痒症。

16

苍耳子地肤子蜜饮

【原料】 苍耳子10克,地肤子10克,蜂蜜30克。

【做法】 先将苍耳子、地肤子分别拣杂,洗净后,同放入砂锅,加水适量,煎煮30分钟,用洁净纱布过滤取汁,放入容器,趁温热加入蜂蜜,拌匀即成。每日2次。

【功效】适用于风寒型皮肤瘙痒症。

17 薏苡仁二豆羹

【原料】薏苡仁30克,绿豆30克,赤小豆30克。

【做法】先将薏苡仁、绿豆、赤小豆分别拣杂,淘洗干净,同放入砂锅,加水适量浸泡片刻,大火煮沸后,改以小火煮至薏苡仁、绿豆、赤小豆熟烂如酥,汤汁浓稠,以湿淀粉勾芡成羹。每日2次。

【功效】适用于湿热下注型皮肤瘙痒症。

18 肉丝蒸茄子

【原料】肉丝50克,茄子250克,蒜蓉、葱白、白糖、麻油、生抽各适量。

【做法】先将茄子去皮切件拉油;肉丝加入调料略腌。起锅把蒜蓉、肉丝炒香,然后入蒸炉蒸5分钟,加少许麻油即可。

【功效】适用于皮肤紫斑症。

19 马齿苋赤小豆粥

【原料】马齿苋30克,赤小豆30克,粳米100克。

【做法】将马齿苋拣洗干净,入沸水锅中烫后晒干,备用。使用时,切成碎小段,放入碗中;将赤小豆拣杂,淘洗干净,放入砂锅,加水适量,大火煮沸后,改用小火煮30分钟,待赤小豆熟烂,加入淘净的粳米,视需要可加温开水适量,继续用小火煮至赤小豆、粳米熟烂如酥,加入马齿苋小段,拌匀,再煮至沸,即成。每日2次。

【功效】适用于湿热下注型皮肤瘙痒症。

近视眼少吃甜食! 近视多由体内缺乏Vb1形成的,如机体中摄入糖分过多就会在人体中代谢大量Vb1,故而要少吃。

十九、眼部疾病

1 野菊花甘草茶

【原料】野菊花 10 克,生甘草 2 克。

【做法】野菊花与拣杂后切成饮片的生甘草同放入大杯中,用刚煮沸的开水冲泡,加盖闷 15 分钟即可饮用。当茶,频频饮用,一般可连续冲泡 3～5 次,当日吃完。

【功效】适用于急性结膜炎。

2 银花密蒙花茶

【原料】金银花 6 克,密蒙花 6 克。

【做法】先将金银花、密蒙花分别拣杂,洗净,晒干或烘干,同放入大杯中,用刚煮沸的水冲泡,加盖闷 15 分钟即可饮用。当茶,频频饮用,一般可连续冲泡 3～5 次,当日吃完。

【功效】适用于急性结膜炎。

3 菊花龙井茶

【原料】杭菊 6 克,龙井茶 2 克。

【做法】先将杭菊拣杂后与龙井茶同放入大杯中,用沸水冲泡,加盖闷 15 分钟即可饮用。当茶,频频饮用,一般可冲泡 3～5 次,当日吃完。

【功效】适用于急性结膜炎。

4 菊花苦丁茶

【原料】菊花 20 克,苦丁茶 15 克。

【做法】先将菊花、苦丁茶分别拣杂,晒干或烘干,搓碎,充分混合均匀,按每包 5 克量分装成若干小包,瓶装,备用。每日 2 次,每次 1 小包。

【功效】适用于原发性青光眼。

5 夏枯草决明子蜜饮

【原料】夏枯草 30 克,决明子 30 克,蜂蜜 30 克。

【做法】先将夏枯草、决明子拣杂,洗净,凉干或晒干,夏枯草切碎,决明子敲碎,同放入砂锅,加水浸泡片刻,煎煮 30 分钟,用洁净纱布过滤,取汁放入容器中,趁温热加入蜂蜜,拌和均匀,即成。每日 2 次。

【功效】适用于急性结膜炎。

6 黄连蜂蜜方

【原料】生黄连 20 克,蜂蜜 30 克。

【做法】先将生黄连拣杂,洗净,晒干或烘干,切片后研成细末,放在玻璃研钵内,徐徐调入蜂蜜,边调入边研磨,反复研磨搅拌 10 分钟,直至融为黄连蜂蜜浆糊即成,瓶装,备用。每日 3 次,每次 5 克,温服。

【功效】适用于急性结膜炎。

7 鲜人参炒鸡球

【原料】鸡肉 250 克,鲜人参 1 条,鸡蛋 1 个,青椒、葱白、姜片、生粉、食盐、绍酒、芡汤、高汤各适量,食用油 200 克。

【做法】鸡肉切厚片,压花纹,用食盐、蛋清、生粉、姜片拌匀;鲜人参切片。起锅烧油至六成热,将腌好的鸡球拉油至熟,捞起沥干。起锅爆香姜片、葱白、青椒丝,放入鲜人参片,减入绍酒略炒,注入高汤,放入调料、鸡球略煮,推入芡汤勾芡上碟即可。

【功效】适用于老年白内障。

春季冠心病患者要注意脚保暖,脚受凉易危及心脏;如突然胸闷、不能平躺,应想到发生急性心肌梗死的可能。

8
夏枯草车前子茶

【原料】夏枯草10克,车前子10克。

【做法】先将夏枯草、车前子分别拣杂,洗净,凉干或晒干,夏枯草切碎,与车前子同放入杯中,用刚煮沸的水冲泡,加盖闷15分钟即可饮用。当茶,随意食用,一般可冲泡3～5次。

【功效】适用于原发性青光眼。

9
枸杞头鸭蛋汤

【原料】新鲜枸杞头250克,鸭蛋2个,精盐、味精、麻油各适量。

【做法】先将新鲜枸杞头拣杂,洗净,沥水后切成段;将鸭蛋磕入碗中,用竹筷搅打成鸭蛋蓉,待用。烧锅置火上,加植物油烧至六成热,加足量清水,大火煮沸,投入枸杞头段,不断翻动,待枸杞头煮至泛绿色时,徐徐调入鸭蛋蓉,煮至沸,加精盐、味精,拌匀,淋入麻油即成。佐餐。

【功效】适用于急性结膜炎。

10
大黄枸杞子茶

【原料】生大黄5克,枸杞子10克,绿茶2克。

【做法】先将生大黄、枸杞子分别拣杂,洗净,晒干或烘干,生大黄切成饮片,与枸杞子、绿茶同放入杯中,用沸水冲泡,加盖闷10分钟即可饮用。当茶频频饮用,一般可冲泡3～5次。

【功效】适用于原发性青光眼。

11
槟榔蜜饮

【原料】槟榔30克,蜂蜜20克。

【做法】先将槟榔拣杂,洗净,晒干或烘干,切成饮片,放入砂锅,加水浸泡片刻,煎煮30分钟,用洁净纱布过滤,取汁放入容器,趁温热加入蜂蜜,拌和均匀即成。每日2次。

【功效】适用于原发性青光眼。

12 白菊花肉片

【原料】白菊花 15 克，猪瘦肉 150 克，植物油、精盐、味精、料酒各适量。

【做法】先将白菊花洗净，凉干，将白菊花瓣轻轻瓣下，放入碗中，余下的白菊花部分，放入纱布袋中，扎紧袋口；将瘦猪肉洗净，切成肉片。烧锅置火上，加植物油烧至六成热，加葱花、姜末煸炒，出香即投入肉片，不断翻炒中烹入料酒，加清水适量，放入药袋，大火煮沸后，改用小火煮 30 分钟，取出药袋，继续用小火煮至猪肉片熟烂，加入白菊花花瓣，拌和均匀，加精盐、味精各适量，调味即成。佐餐。

【功效】适用于原发性青光眼。

13 四季豆焖糖排

【原料】排骨 250 克，四季豆 150 克，苦瓜 1 根，红萝卜半根，姜片 2 片，葱段 4 段，食盐、胡椒粉、料酒、白糖、上汤、生粉各适量，花生油 500 克。

【做法】将排骨洗净，斩件；四季豆飞水，过冷河，切段；红萝卜、苦瓜切条。起锅爆香姜片，放入排骨件爆炒，注入上汤，加白糖、料酒焖 10 分钟待用。起锅爆香葱段，放入红萝卜条、苦瓜条猛火快炒，倒入排骨件及汁，改小火焖 2 分钟至苦瓜熟。待汤汁渐收，加食盐、胡椒粉调味，拌入四季豆炒匀，用生粉勾芡即可。

【功效】适用于老年性白内障等眼症。

14 青葙子炖鸡肝

【原料】青葙子 20 克，鸡肝 2 具。

酸枣仁能抑制中枢神经系统，可镇静安神。每晚将适量酸枣仁捣碎，水煎，睡前一小时服用，对血虚所引起的失眠有良效。

【做法】 先将青葙子拣杂，洗净，凉干；将鸡肝洗净，入沸水锅中焯去血水，取出，切成小块或切成片，码放入蒸碗中，将青葙子匀放在鸡肝面上，加清水适量，放入蒸锅，隔水，大火蒸30分钟，待鸡肝蒸熟即成。每日2次。

【功效】 适用于原发性青光眼。

15

番茄苹果牛奶

【原料】 番茄200克，苹果1个，鲜牛奶200毫升，蜂蜜10毫升。

【做法】 先将番茄、苹果用清水将其外表皮反复洗净，番茄去蒂头，切碎或切成小块状；苹果肉切成小丁块，同放入榨汁机中，榨成浆汁，用洁净纱布过滤，取汁，倒入容器中；将鲜牛奶放入锅中，用小火煮沸，即离火，趁温热加入蜂蜜，拌匀，倒入盛番茄、苹果浆汁的容器中，搅拌均匀即成。每日2次。

【功效】 适用于各型老年性白内障。

16

胡萝卜炒猪肝

【原料】 胡萝卜200克，猪肝150克，植物油、精盐、味精、酱油、料酒、淀粉、红糖、葱花、姜末各适量。

【做法】 先将胡萝卜洗净，切成片；将猪肝放入清水中浸泡1小时，洗净，切成薄片，放入碗中。加葱花、姜末、精盐、红糖、料酒、湿淀粉拌匀，放入九成热的油锅中爆炒至八成熟，倒入碗中。炒锅洗净，加植物油用中火烧至七成热，倒入胡萝卜片，急火翻炒片刻，倒入炒过的猪肝片，熘翻均匀，加精盐、味精、酱油，再翻炒均匀即成。佐餐。

【功效】 适用于各型老年性白内障。

17

谷精草羊肝汤

【原料】 谷精草30克，羊肝150克，密蒙花10克，植物油、精盐、味精、料酒、葱花、姜末各适量。

【做法】 先将谷精草、密蒙花分别拣杂，洗净，凉干；谷精草切成碎小段，放入纱布袋中，扎紧袋口，与密蒙花同放入碗中；将羊肝放入清水中浸泡1小时，洗净，剖条后切成片。烧锅置火上，加植物油烧至六成热，加葱花、姜末煸炒炝锅，出香即放入羊肝片，翻炒中烹入料酒，加清水适量，加入药袋，改用小火熄煮30分钟，取出谷精草药袋，继续用小火熄煮至羊肝片熟烂，加密蒙花及精盐、味精，再煮至沸即成。佐餐。

【功效】 适用于各型老年性白内障。

18 胡萝卜豆奶

【原料】 胡萝卜100克，黄豆粉30克，柠檬汁5毫升。

【做法】 先将胡萝卜洗净，切碎，捣烂，放入榨汁机中，榨成浆汁，用洁净纱布过滤，取汁，放入大杯中；将黄豆粉用清水适量充分拌匀，使豆粉成混悬液，入锅中火煮沸3分钟，用洁净纱布过滤，取得的豆奶，与胡萝卜浆汁充分拌匀，加入柠檬汁，混合

均匀即成。每日2次。

【功效】 适用于各型老年性白内障。

19 菊香鱼腩羹

【原料】 杭菊花瓣、鱼腩肉100克，姜丝、葱丝、笋肉、盐、白糖、麻油、芡汤、高汤各适量。

【做法】 将鱼腩肉洗净。将鱼肉挤成榄形，同笋肉放入高汤中煮熟，再加入姜丝、调味料同煮，推入芡汤拌匀。在汤面洒上菊花瓣、葱丝即可。

【功效】 适用于眼底出血。

药膳推荐：将15克佛手瓜片与250克鲜肉片用中火煲汤，1小时后放进5克砂仁再煲5分钟，此汤可有效缓解胃痛。

20 猪肝粥

【原料】 大米 100 克,猪肝 150 克,姜丝、盐、生粉、花生油各适量。

【做法】 猪肝切片,用盐、生粉略腌。将大米用盐和油拌匀,将米倒入沸水里中火煲 30 分钟。当煮成粥状时,加入猪肝和姜丝,煮 5 分钟即可。

【功效】 适用于夜盲、双目干燥等症。

21 芹菜藕汁

【原料】 芹菜 150 克,藕 150 克,黄瓜 100 克,柠檬汁 5 毫升。

【做法】 先将芹菜、藕、黄瓜分别洗净;芹菜去叶后切成碎小段;鲜藕去节后剖条切成小方丁;黄瓜切成片。同放入榨汁机中榨取汁,调入柠檬汁,拌匀即成。每日 2 次。

【功效】 适用于各型老花眼。

22 人参汤圆

【原料】 人参 3 克,豆沙泥 50 克,白糖 50 克,红糖 50 克,熟猪油 20 克,水磨糯米粉 250 克。

【做法】 先将人参洗净,晒干或烘干,研成细粉末;与豆沙泥、白糖、红糖、熟猪油共同拌和均匀,制成馅泥,备用;用沸水将糯米粉拌匀,揉软后做成 20 个小粉团,包入人参豆沙馅泥,制成汤圆,入沸水锅煮熟即成。每日 2 次,每次 10 个。

【功效】 适用于脾气虚弱型老年性白内障。

23 果汁蛋奶

【原料】 苹果 1 个,芦柑 1 个,鸡蛋 1

个,牛奶200毫升,蜂蜜10克。

【做法】先将苹果、芦柑洗净;苹果肉切成小丁;芦柑去外皮,剥瓣,去籽后,与苹果小丁同放入榨汁机中榨取汁;将鸡蛋磕入碗,用竹筷搅打成鸡蛋蓉糊;牛奶倒入锅中,中火加热至接近沸腾时倒入打匀的鸡蛋蓉,再烧至鸡蛋成形呈花絮状,临近沸腾时离火,趁温热加入果汁及蜂蜜,拌和均匀即成。每日2次。

【功效】适用于各型老花眼。

24
谷精草菊花茶

【原料】谷精草15克,白菊花3克,绿茶2克。

【做法】将谷精草拣杂,洗净,晒干或烘干,与白菊花、绿茶同放入大杯中,用沸水冲泡,加盖闷10分钟,即可饮用。当茶,频频饮用,一般可冲泡3～5次。

【功效】适用于肝火上亢型老年性白内障。

25
虾仁炒鸡肝

【原料】虾仁50克,鸡肝150克,净荸荠50克,笋片50克,植物油、精盐、味精、料酒、酱油、红糖、葱花、姜末、淀粉各适量。

【做法】先将净荸荠、笋片洗净,均切成薄片,同放入碗中,加湿淀粉适量,拌和均匀;虾仁放入碗中,加料酒、葱花、姜末、精盐、湿淀粉各适量,上浆待用;将鸡肝洗净,剖成薄片。炒锅置火上,加植物油烧至六成热,下鸡肝片过油,捞起,倒入漏勺沥油,再放入上浆的虾仁,急火熘炒,捞入漏勺沥油。炒锅中放入笋片,急火翻炒片刻,下荸荠片、鸡肝片一起翻炒,烹入料酒,加精盐、味精、酱油、红糖,拌匀,滑散,炒至鸡肝熟烂入味,加虾仁及鲜汤,用湿淀粉勾芡即成。佐餐。

【功效】适用于各型老年性白内障。

26 芝麻柴鱼猪肝粥

【原料】白粥1大碗,柴鱼、猪肝各50克,黑芝麻、姜丝、葱白、盐、麻油、胡椒粉、生粉各适量。

【做法】柴鱼干用清水浸软撕碎;猪肝洗净,切片,用姜丝、盐、麻油、生粉拌匀略腌。将柴鱼碎放入白粥中小火煲15分钟。放入猪肝煮至熟,加入葱白、调料调味,洒上黑芝麻即可。

【功效】适用于夜盲、眼干燥症。

27 复合黄瓜汁

【原料】黄瓜150克,番茄150克,柠檬汁5毫升。

【做法】先将黄瓜、番茄分别洗净。黄瓜切成片,番茄用温开水泡后去皮切碎,同放入榨汁机中榨取汁,调入柠檬汁,拌匀即成。每日2次。

【功效】适用于各型老花眼。

28 参枣蜜饮

【原料】党参20克,红枣20枚,蜂蜜30克。

【做法】先将党参、红枣分别洗净,凉干。党参切成饮片,放入纱布袋中,扎紧袋口,与红枣同放入砂锅,加水浸泡片刻,煮沸后改用小火炖1小时,取出党参药袋,停火,趁温热加入蜂蜜,拌匀即成。当点心,每日2次。

【功效】适用于脾气虚弱型老年性白内障。

均匀,移入汤碗中,入蒸锅中蒸20分钟(其间要常开锅盖,以免肝膏汁膨胀而影响美观和口味)取出。二冬用纱布包起放入清高汤中以中火慢煮30分钟,取出二冬不吃(亦可再煮一次),放下洗净的豆苗嫩叶再冲入肝膏碗中,即可供食。

【功效】 适用于夜盲症、小儿角膜软化症(疳眼)。

29

芝麻花生豆 奶

【原料】 黑芝麻 15 克,花生仁 25 克,黄豆粉 50 克。

【做法】 先将黑芝麻拣杂,淘洗干净,晒干后入锅用微火炒熟出香,趁热研成黑芝麻屑;将花生仁洗净,晒干后入锅,用小火炒熟,出香即取出,研成花生仁细末;黄豆粉放入容器中,加清水 500 毫升,充分拌和均匀,浸泡片刻,用中火煮沸 3 分钟,以洁净纱布过滤,所取得的豆浆汁放入大杯中,加花生仁、黑芝麻屑,搅拌均匀即成。每日 2 次。

【功效】 适用于气血两虚型老花眼。

30

二冬肝膏 汤

【原料】 鸡肝 8 只,鸡蛋 1 个,高汤 300 克,天门冬、麦冬各 10 克,清高汤 1.5 千克,豆苗 100 克,盐、姜酒汁、味精各适量。

【做法】 鸡肝洗净切碎成泥蓉,用网筛过滤一次将筋挑出,加鸡蛋打匀,再加高汤、调味料一起搅拌

31

胡萝卜苹果豆 浆

【原料】 胡萝卜 50 克,苹果 50 克,豆浆 200 毫升,柠檬汁 5 毫升。

【做法】 先将胡萝卜、苹果分别拣杂,洗净。胡萝卜切碎;苹果去外皮及核、子,切碎。与豆浆同放入榨汁机中榨成汁,盛入大杯中,

少儿吃竹笋宜适量! 竹笋中含有难溶性草酸,很容易和钙结合成草酸钙,过量食用,对小儿的尿道和肾脏不利。

加入柠檬汁，拌和均匀即成。每日2次。

【功效】适用于各型老花眼。

32 马齿苋金针菜汤

【原料】马齿苋50克，金针菜30克，精盐、味精、麻油各适量。

【做法】马齿苋洗净切段；金针菜剪去花蒂，洗净。加水400毫升，大火烧开，慢火煮熟，下精盐，味精，淋麻油。每日1～2次。

【功效】适用于红眼病。

33 合欢花蒸鸡肝

【原料】合欢花10克，鸡肝1具，生姜、精盐、味精各适量。

【做法】合欢花、鸡肝、生姜洗净切丝，同放于碗中，注入清水200毫升，上锅隔水蒸熟，下精盐，味精，淋麻油，调匀。每天1剂，连服3～5天。

【功效】适用于眼结膜炎红肿、肝郁胁痛等症。

34 菠菜根野菊汤

【原料】菠菜红根150克，野菊花15克。

【做法】水煎2次，每次用水300毫升，煎20分钟，两次混合，去渣取汁。每日1～2次服。

【功效】适用于眼结膜炎红肿、心烦口渴等症。

35 枸杞子炒肉丝

【原料】枸杞子30克，猪瘦肉200克，植物油、精盐、味精、酱油、米醋、料酒、葱花、姜末、红糖、淀粉各适量。

【做法】先将枸杞子洗净，用清水浸泡30分钟，置于小碗中，上笼蒸熟；将猪瘦肉洗净，切成丝，放入碗中，加入料酒、葱花、姜末、红糖、米醋、水淀粉，拌和上浆。炒锅置火上，加植物油烧至六成热，加适量葱花、姜末煸炒炸锅，出香即下肉丝，急火翻炒，炒至肉丝将熟时，加入蒸熟的枸杞子，加精盐、味精、酱油各适量，熘炒片刻即成。

佐餐。

【功效】适用于肝肾不足型老花眼。

36 猪肝玄菊汤

【原料】猪肝 200 克,玄参 20 克,菊花 10 克,精盐、味精、麻油各适量。

【做法】洗净切片,加入黄酒和适量精盐,拌匀,腌渍入味;玄参、菊花水煎 2 次,每次用水 300 毫升,煎 20 分钟,两次混合,去渣留汁于锅中。继续加热,烧开后,放入猪肝片,煮熟,下精盐、味精,淋麻油。每日 1～2 次。

【功效】适用于急、慢性结膜炎、虹膜炎等症。

37 木耳炒猪肝

【原料】猪肝 100 克,木耳 50 克,姜片 3 片,葱段 3 段,蒜蓉少许,食盐 3 克,鲍汁 5 克,生粉少许,上汤 10 克,花生油 20 克。

【做法】木耳洗净待用;猪肝切片,放入姜片、葱段、食盐、生粉拌匀腌

15 分钟,弃去姜片、葱段。起锅烧油,放入猪肝片猛火炒至六成熟,倒入碟中待用。爆香蒜蓉,放入木耳略炒;倒入猪肝片,用食盐、鲍汁、上汤调味炒匀,勾芡,加包尾油上碟。

【功效】适用于夜盲症、眼干燥症。

38 黑米黑豆粥

【原料】黑米、黑豆各 50 克,羊肝 50 克,植物油、酱油、姜丝、精盐各适量。

【做法】黑米、黑豆淘净,加清水,慢熬成粥,再将羊肝 50 克洗净切碎,加入植物油、酱油、姜丝、精盐等,爆炒至熟。每日 1～2 次。

【功效】适用于青少年近视眼。

吃花生能防病! 食用花生可降低血液中胆固醇,预防冠心病,还可降低糖尿病发病率,许多国家已将花生推荐为健康食物。

39
西施舌枸菜汤

【原料】西施舌肉片 150 克,枸杞菜 100 克,清水 300 毫升,精盐、味精、麻油、姜片各适量。

【做法】烧开后,投入西施舌肉片和姜片,煮至熟透时,加入枸杞菜,再烧开。下精盐、味精,淋麻油。每日 1～2 次。

【功效】适用于结膜炎目赤肿痛、心烦口渴等症。

40
狗肝菜野菊花汤

【原料】狗肝菜、野菊花各 50 克,水 600 毫升。

【做法】狗肝菜、野菊花加水煎至 200 毫升,去渣取汁。每日 1～2 次。

【功效】适用于结膜炎目赤肿痛。

41
枸杞叶猪肝汤

【原料】枸杞叶 100 克,猪肝 200 克,精盐、味精、料酒、葱花、姜末各适量。

【做法】先将枸杞叶洗净;将猪肝洗净,切成片,放入煮沸的汤锅中,烹入料酒,并加葱花、姜末及鲜汤适量,煮 30 分钟,待猪肝片熟后,即加入洗净的枸杞叶,加精盐、味精,拌匀,再煮至沸。佐餐。

【功效】适用于肝肾不足型老花眼。

42
腊菊蜂蜜饮

【原料】腊梅花 15 克,杭菊花 10 克,蜂蜜适量。

【做法】腊梅花、杭菊花、水煎取 300 毫升,加入蜂蜜,调匀。每日 2 次。

【功效】适用于急性结膜炎。

二十、耳部疾病

1 香菇核桃仁

【原料】 水发香菇 250 克,核桃仁 150 克,里脊肉 100 克,植物油、精盐、味精、胡椒粉、湿淀粉、葱花、姜末、麻油各适量。

【做法】 先将水发香菇洗净,控干水,每只切成两半;将核桃仁洗净,放入沸水锅中烫透,撕去皮,凉干,放入油锅中用中火炸至酥脆,捞出,放在盘碗中。将里脊肉洗净,切成薄片,放入小碗内,加精盐、味精、胡椒粉、湿淀粉拌和均匀。另碗中放入味精、甜酱、湿淀粉、葱花、姜末、麻油等作料拌成调味汁。炒锅置火上,加植物油烧至六成热,将里脊肉放入,急火滑散,熘炒至八成熟,烹入料酒,倒入漏勺中,然后在锅中放植物油适量,烧热后,先下水发香菇煸香,再

下葱花、姜末炒透,将里脊肉片、核桃仁倒入,翻炒后,即浇上调味汁,将炒锅颠翻几下即成。佐餐当菜,随意食用。

【功效】 适用于脾气虚弱型老年耳聋症。

2 黑豆浆

【原料】 黑大豆 50 克,白糖适量。

【做法】 先将黑大豆淘洗干净,放入容器中,加入清水浸泡 4 小时。待黑豆吸水涨鼓后放入榨汁机中,加入清水适量,搅打 30～45 秒钟,然后将浆汁一起倒入纱布袋中过滤。滤尽豆汁后,将盛有豆渣的布袋浸入 150 毫升清水中捏擦,使黑豆中的可溶物和分散为胶体的蛋白质尽可能溶入水中。将 2 次获得的豆汁倒入锅中,用中火烧至沸腾,趁热加糖拌匀,即可饮用。每日 2 次。

小贴士

春季易发哮喘,哮喘病人此时应多食有下气、化痰、清肺作用的萝卜、丝瓜、梨等蔬果,进食不过饱,不吃过甜、过咸食物。

【功效】适用于肝肾阴虚型老年耳聋症。

3 芥菜肉丸汤

【原料】猪肉200克,芥菜100克,冬菇、葱花、姜末、胡椒粉各少许,葱段、食盐、生粉各适量。

【做法】猪肉去皮、剁碎;冬菇切粒。将猪肉碎和冬菇粒、葱白、姜末、食盐、胡椒粉、生粉拌匀,打成肉胶,挤成球状。放入煮沸的上汤,用中火煮5分钟至熟,放入芥菜,用食盐调味略煮,撒入葱花即可。

【功效】适用于耳聋。

4 虾仁韭菜包子

【原料】虾仁150克,韭菜300克,面粉300克,酱油、麻袖、精盐、味精、发酵剂各适量。

【做法】先将韭菜洗净,沥去水,切成韭菜末;将虾仁洗净,切成小丁,放入碗内,加酱油、麻袖、精盐、味精拌和均匀,再加韭菜末调制成馅。将面粉250克放入盆中,加水和发酵剂揉和好,待发酵后将剩余的面粉掺入,再加适量食碱,揉匀揉透,搓成长圆条,揪成25克1个的小剂子,压扁擀成直径约6～7厘米的圆皮。左手托皮,右手装馅,捏拢收口。包子上笼,用大火蒸约10分钟即熟。每日2次。

【功效】适用于肾阳不足型老年耳聋症。

5 淫羊藿炖羊腰

【原料】淫羊藿20克,羊腰2只,葱花、姜末、精盐、味精、五香粉、料酒、麻油各适量。

【做法】先将淫羊藿拣杂，洗净，晒干或烘干，切成片，放入纱布袋，扎紧袋口，备用；将羊腰洗净，去包膜，剖开，除去臊腺及筋膜，切成羊腰片，与淫羊藿药袋同放入砂锅，加水适量，大火煮沸，烹入料酒，改用小火煮30分钟，待羊腰熟烂，取出药袋，加葱花、姜末、精盐、味精、五香粉，继续用小火煮至沸，淋入麻油。佐餐当菜，随意服食，当日吃完。

【功效】适用于肾阳不足型老年耳聋症。

6 黑芝麻牛奶

【原料】黑芝麻30克，鲜牛奶200毫升，白糖10克。

【做法】先将黑芝麻拣杂，洗净，晒干，入锅用小火炒熟出香，趁热研成细末。将鲜牛奶倒入锅中，加入黑芝麻细末、白糖，用筷子搅匀后，用小火煨煮，将临沸腾时离火，倒入杯中即成。早餐时随早点一起服食，1次吃完。

【功效】适用于肝肾阴虚型老年耳

聋症。

7 猴头菇烧鸡腿

【原料】水发猴头菇100克，鸡腿肉250克，植物油、葱花、姜末、精盐、味精、酱油、红糖各适量。

【做法】先将水发猴头菇洗净，撕成条块状；将鸡腿肉洗净，放入温水中浸泡片刻，拍松，撕成条状；烧锅置火上，加植物油烧至六成热，加葱花、姜末煸炒，出香，即加入鲜汤适量，倒入猴头菇、鸡腿肉，并加料酒适量，大火煮沸，改用小火焖烧至鸡肉酥烂，加酱油、红糖、精盐、味精各适量，拌匀，再煨煮至沸，即成。佐餐当菜，随意服食。

【功效】适用于脾气虚弱型老年耳聋症。

8 芹爆腰花

【原料】猪腰1只，芹菜100克，青葱、蒜蓉、姜片、盐、白糖、麻油、绍酒、XO酱、花生油各适量。

【做法】猪腰起花；起锅爆香蒜蓉、芹菜、姜片。加入 XO 酱、辣椒酱炒香，喷入绍酒，放入腰花。加入味料拌匀，用大火炒 1～2 分钟即可。

【功效】适用于老年性耳聋、耳鸣。

9 黑豆烩蛤蚧

【原料】蛤蚧肉 500 克，黑大豆 100 克，植物油、精盐、味精、酱油、料酒、葱花、姜末、青蒜末各适量。

【做法】先将蛤蚧肉用清水反复清洗后，加适量精盐搓一搓，以除细沙，放置片刻，冲洗干净；将黑豆洗净，用清水泡发 30 分钟，隔水蒸熟。炒锅置火上，加植物油烧至六成热，放入葱花、姜末煸炒出香，即投入蛤蚧肉翻炒，烹入料酒，加辣椒末略炒，加酱油、鲜汤，用中火煮沸，放入黑豆，加盖，改用小火焖煮 15 分钟，待蛤蚧肉、黑豆酥烂，放入青蒜末，加精盐、味精，拌匀，略炒片刻即成。佐餐当菜，随意服食。当日吃完。

【功效】适用于肝肾阴虚型老年耳聋症。

10 三七蒸酒酿

【原料】三七花 10 克，酒酿 50 克。

【做法】三七花、酒酿同放于碗中，隔水蒸熟，每日 1～2 次。

【功效】适用于耳鸣。

11 米仔兰豆腐汤

【原料】水豆腐 2 块切成小方块，米仔兰 20 克，麻油、精盐、味精各适量。

【做法】水豆腐切成小方块，水煮至豆腐呈蜂窝状时，再将米仔兰洗净放入，煮熟。下精盐、味精，淋麻油。每日 1～2 次。

【功效】适用于肝胆火旺、耳鸣如潮水声、猝发耳聋、急躁易怒、失眠多梦等症。

12

合欢黑豆小麦汤

【原料】合欢花30克,黑豆、小麦各15克。

【做法】合欢花、黑豆、小麦同煎2次,每次用水300毫升,煎30分钟,两次混合,去渣取汁。每日1～2次。

【功效】适用于肝胆火热、情志不舒、精神恍惚、失眠多梦、耳鸣、耳聋等症。

13

茼蒿猪肝鸡蛋汤

【原料】茼蒿200克,猪肝200克,鸡蛋1个,姜片、精盐、味精、麻油各适量。

【做法】茼蒿去须根;猪肝洗净切片,加

水300毫升,烧开后先放猪肝、姜片和精盐,煮至变色时,放入茼蒿,再烧开,磕入鸡蛋1个,打散,煮至熟,下味精,淋麻油。每日1～2次。

【功效】适用于肝火上逆、头晕目眩、耳鸣、耳聋等症。

14

石菊钩藤猪肝汤

【原料】生石决明30克,菊花、钩藤各10克,猪肝100克,姜片、精盐、味精、麻油各适量。

【做法】先将石决明敲碎放于砂锅中,加水500毫升,先煎30分钟,后放菊花和钩藤同煎15分钟,去渣留汁于锅中,再将猪肝切薄片和姜片、精盐放入,煎至猪肝熟透,下味精,淋麻油。每日1～2次。

【功效】适用于肝火上逆型耳鸣、耳聋、胸闷心烦、急躁易怒、头晕目眩等症。

小贴士

美尼尔氏综合征食疗——茯苓赤小豆粥:15克白茯苓入砂锅水煎去渣留汁,加18克赤小豆,60克粳米,一同煮粥服食。

二十一、鼻腔疾病

1 白菜支竹煲

【原料】白菜 250 克,支竹 50 克,红萝卜半根,姜片 2 片,葱段 3 段,食盐、香醋、蚝油、胡椒粉、上汤、花生油各适量。

【做法】(1)将白菜洗净,切段;支竹用温水浸发,切长段;红萝卜切块。

(2)起锅爆香姜片、葱段,放入白菜段、红萝卜块,溅入香醋猛火快炒,注入上汤,加食盐、蚝油调味拌匀。

(3)倒入烧热的瓦煲中,放入支竹段,用慢火煲 10 分钟,撒上胡椒粉即可。

【功效】适用于慢性鼻炎。

2 川芎茶

【原料】川芎 10 克,白芷 6 克,薄荷 5 克,绿茶 2 克。

【做法】先将川芎、白芷、薄荷分别拣杂,洗净;川芎、白芷切成片,与薄荷、绿茶同放入砂锅,加水浸泡片刻,煎煮 20 分钟,用洁净纱布过滤取汁,放入容器,即成。每日 2 次。

【功效】适用于风寒型单纯性慢性鼻炎。

3 苍耳子茶

【原料】苍耳子10克，白芷5克，绿茶2克。

【做法】将苍耳子、白芷分别拣杂，洗净；白芷切成片，与苍耳子、绿茶同放入砂锅，加水浸泡片刻，煎煮20分钟，用洁净纱布过滤，取汁放入容器，即成。每日2次。

【功效】适用于风寒型单纯性慢性鼻炎。

4 辛夷热红茶

【原料】辛夷花3克，红茶2克，红糖15克。

【做法】先将辛夷花拣杂，晒干，与红茶同放入杯中，用刚煮沸的开水冲泡，加盖闷15分钟，加入适量红糖，拌匀即成。当茶，频频饮用。一般可冲泡3～5次，红糖视冲泡次数分配。

【功效】适用于风寒型单纯性慢性鼻炎。

5 辛夷煎蛋

【原料】辛夷花15克，鸡蛋2个。

【做法】先将鸡蛋洗净，入沸水锅煮熟，待凉，去壳。将辛夷花拣杂，放入砂锅，加清水浸泡片刻，煎煮15分钟，过滤取汁，回入砂锅，放入熟鸡蛋，用小火煮15分钟即成。每日2次，每日1剂。

【功效】适用于风热型单纯性慢性鼻炎。

6 川芎菊花茶

【原料】川芎10克，白菊花6克，绿茶2克。

【做法】先将川芎拣杂，洗净，晒干或烘干，切成片；与菊花、绿茶同放入砂锅，加水浸泡片刻，煎煮20分钟，用洁净纱布过滤，取汁即成。每日2次。

【功效】适用于风热型单纯性慢性鼻炎。

小贴士

美尼尔氏综合征发作时要静卧，戒急躁，进清淡低盐饮食，控制喝水量，忌烟酒茶。 间歇期要锻炼身体，注意劳逸调度适当。

食 疗

7 人参茶

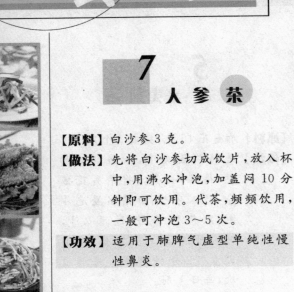

【原料】白沙参3克。

【做法】先将白沙参切成饮片,放入杯中,用沸水冲泡,加盖闷10分钟即可饮用。代茶,频频饮用,一般可冲泡3～5次。

【功效】适用于肺脾气虚型单纯性慢性鼻炎。

8 泡椒大白菜

【原料】大白菜500克,泡椒100克,姜丝、蒜蓉、食盐、辣椒油、上汤、甜醋、花生油各适量。

【做法】(1)将大白菜洗净,飞水至熟,切成约4厘米长、2厘米宽的片,过冷河,沥干待用;泡椒剁碎。

(2)起锅爆香姜丝、蒜蓉,放入泡椒碎,注入上汤煮开,放入大白菜、食盐、倾入甜醋拌匀,上碟。

(3)待凉,淋入辣椒油调味即可。

【功效】适用于过敏性鼻炎。

9 黄芪砂锅鹌鹑

【原料】黄芪30克,鹌鹑2只,料酒、精盐、味精、葱花、姜末、麻油各适量。

【做法】先将黄芪切成片,放入纱布袋,扎紧袋口,备用;将鹌鹑宰杀、洗净,入沸水锅焯透,捞出,放入砂锅,加黄芪药袋及清水足量,大火煮沸,烹入料酒,改用小火煮1小时,待鹌鹑肉熟烂,取出药袋,加精盐、味精、葱花、姜末,再煮至沸,淋入麻油即成。佐餐当菜,随意服食。

【功效】适用于肺脾气虚型单纯性慢性鼻炎。

10 玉兰鸡蛋汤

【原料】 玉兰花 15 克,鸡蛋 3 个,精盐、味精、麻油各适量。

【做法】 玉兰花洗净,加清水,烧开后打入鸡蛋,煮熟,下精盐、味精,淋麻油。每日 1～2 次。

【功效】 适用于鼻炎、鼻窦炎等症。

11 玉兰菊花茶

【原料】 玉兰花 5 克,菊花 3 克。

【做法】 玉兰花、菊花用滚开水浸 15 分钟。频频饮用。

【功效】 适用于鼻窦炎、咳嗽等症。

12 辛夷鸡蛋汤

【原料】 辛夷 15 克,鸡蛋 2 只。

【做法】 辛夷洗净,清水煎至 100 毫升,去渣留汁于锅中,磕入鸡蛋,继续加热煮熟。每日 1～2 次。

【功效】 适用于鼻炎、鼻窦炎等症。

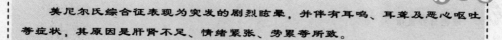

二十二、口腔病

1 金针鸡丝

【原料】鸡胸肉1块,清汤300克,金针菜100克,姜、酒汁共20克,白胡椒粉3克,白糖5克,生粉4克,麻油5克,盐1克,葱花少许,味精适量。

【做法】鸡胸去皮去骨切成丝,用腌料抓匀腌20分钟。煮一锅滚水,将腌好鸡丝投入烫煮一分钟后捞起,再浸入清水中以免粘成一团。金针将硬梗部分切掉,每条打一结扣,用清水浸泡30分钟后捞起挤干水分。煮锅放入清汤煮滚,同时放下鸡丝、金针、葱花和调味料一起续滚3分钟即可。

【功效】适用于口腔溃疡。

2 草莓汁

【原料】鲜草莓500克。

【做法】鲜草莓绞汁。每日2次,每次30毫升。

【功效】适用于咽喉肿痛、声音嘶哑等症。

3 橄榄酸梅汤

【原料】橄榄100克,酸梅10克,白糖适量。

【做法】橄榄、酸梅分别洗净去核，加水600毫升，小火煮30分钟，去渣，下白糖溶化。当茶饮。

【功效】适用于急性咽炎、扁桃体炎、咳嗽痰多、酒醉烦渴等症。

4

番石榴 茶

【原料】干番石榴100克。

【做法】干番石榴洗净捣烂，加水400毫升，煎至200毫升，去渣。当茶饮。

【功效】用于急、慢性咽喉炎、声音嘶哑等症。

5

橄榄萝卜饮

【原料】橄榄100克，萝卜100克。

【做法】将橄榄洗净敲裂，萝卜洗净切片，加水500毫升，煮至熟透，去渣取汁。当茶饮，每天1剂，连服3～5天。

【功效】适用于急、慢咽喉炎、预防白喉等症。

6

柠 檬 茶

【原料】咸柠檬1个，无花果2片。

【做法】咸柠檬切薄片，与无花果同放于大茶盅中，加滚开水，盖好，温浸15分钟。当茶饮，饮完可再浸泡1次。

【功效】适用于急性咽炎、声音嘶哑等症。

7

冰糖蒸枇 杷

【原料】鲜枇杷150克，冰糖适量。

【做法】鲜枇杷，去皮核，放于大瓷碗中，加入冰糖和清水，隔水蒸熟。每日1～2次，食果喝汤。

【功效】适用于急、慢性咽喉炎、咳血等症。

8

上汤猪肝辣椒 叶

【原料】辣椒叶200克，猪肝100克，姜丝、胡椒粉、麻油、食盐、生粉各适量。

由于消化吸收功能不降，老年人易发生铜缺乏病记忆力减退、反应迟钝，因此老年人应多吃鱼、蛋黄、肝、豆类等含铜食物。

【做法】 猪肝切薄片,用姜丝、食盐、生粉拌匀略腌。起锅注入清水煮沸,加入食盐调味,放入猪肝猛火煮2分钟至熟,放入辣椒叶煮沸,撒入胡椒粉,淋入少许麻油即可。

【功效】 适用于牙周病。

9 凉拌蒲公英

【原料】 新鲜蒲公英500克,熟芝麻粉20克。

【做法】 新鲜蒲公英拣杂,洗净,保留根头部分,入沸水锅中汆透,捞出,码齐,切成3厘米长的段,放入盘中,匀布熟芝麻粉,加酱油、红糖、精盐、味精各适量,拌匀,淋入麻油即成。佐餐当菜,

随意服食,当日吃完。

【功效】 适用于胃经实火型牙周病。

10 枸杞子菊花脑 汤

【原料】 枸杞子15克,菊花脑250克,精盐、味精、麻油各适量。

【做法】 先将菊花脑拣杂,洗净。将枸杞子洗净,与菊花脑茎叶及嫩头同放入砂锅,加水适量,煎煮10分钟,加精盐、味精、麻油,拌匀即成。佐餐当菜,随意服食。

【功效】 适用于肝肾阴虚型牙周病。

11 大黄黄连蜜 饮

【原料】 生大黄10克,黄连3克,蜂蜜20克。

【做法】 先将生大黄、黄连分别拣杂,洗净,晒干或烘干,切成片。将黄连放入砂锅,加水浸泡片刻,中火煎煮20分钟,再加入生大黄片,改用小火煎煮3分钟,用洁净纱布过滤取汁,放入容器,趁热加入蜂蜜,拌和均匀即成。每日2次。

【功效】适用于胃经实火型牙周病。

【功效】适用于阴虚胃热型牙周病。

12 青椒炒甘蓝

【原料】青辣椒 50 克,甘蓝 150 克,植物油、葱、姜、酱油、精盐、味精各适量。

【做法】青辣椒、甘蓝分别洗净切丝,锅置旺火上,上油,烧至八成热,先投葱、姜爆香,再放甘蓝丝,酱油炒匀,加盖焖片刻,后放辣椒丝和精盐,同炒至熟,下味精,炒匀。单食或佐餐。

【功效】适用于维生素 C 缺乏引起的牙龈出血。

13 银耳柿饼羹

【原料】水发银耳 25 克,柿饼 50 克,红糖 10 克,淀粉适量。

【做法】先将水发银耳洗净,撕成小朵片状;将柿饼去蒂,洗净,切成小方丁,与银耳片同放入砂锅,加水适量,大火煮沸后,改用小火煮至银耳酥烂,汤呈稀糊状,用湿淀粉勾芡成羹,调入红糖,拌匀即成。每日 2 次。

14 香蕉冰淇淋

【原料】成熟香蕉 2 根,鸡蛋 2 个,鲜牛奶 300 毫升,茯苓粉 10 克,细玉米粉 20 克,红糖 25 克。

【做法】先将鸡蛋磕入碗内,用竹筷搅打成蓉糊,放入用水调匀的茯苓粉、玉米粉中,边倒边搅,用力搅打成鸡蛋蓉糊。将香蕉去皮,切碎,捣绞成香蕉泥。将牛奶倒入锅中,小火煮沸后慢慢拌入鸡蛋蓉糊,同时不断地用筷子搅拌,加入红糖,混合均匀,离火,加入香蕉泥,搅拌均匀成冰淇淋糊,放入冰箱的冷冻室中,快速冷冻 20 分钟后取出,再搅打片刻,放回冰箱冷冻室,使成冰淇淋,即可食用。每日 2 次。

【功效】适用于阴虚胃热型牙周病。

15 红枣炖鹿肉

【原料】鹿肉 250 克,红枣 10 枚,料酒、葱花、姜末、酱油、红糖、精盐、

科学饮水要注意:一适量喝水不暴饮;二不要等到口渴时才饮水;三喝开水;四喝新鲜水不喝陈水;五喝加盐温水不要喝冰水。

五香粉、味精、麻油各适量。

【做法】 先将鹿肉洗净,放入沸水锅中焯去血水,捞出,切成块;将红枣洗净,用温水浸泡片刻,剥开去核,与鹿肉同放入砂锅,加水适量,大火煮沸,加料酒、葱花、姜末,改用小火煮 1 小时,待鹿肉熟烂,加酱油、红糖、精盐、五香粉、味精,再煮至沸,淋入麻油即成。佐餐当菜,随意食用。

【功效】 适用于脾肾两虚型牙周病。

16 羊肉绿豆汤

【原料】 绿豆 50 克,羊肉 150 克,红枣 10 枚,生姜 5 片,味精、麻油各适量。

【做法】 绿豆加清水,用小火煮至豆瓣开裂时,再将羊肉洗净切块,红枣与生姜放入同煮至羊肉酥烂,下味精,淋麻油。每日 1~2 次。

【功效】 适用于复发性口疮。

17 凤凰雪梨羹

【原料】 雪梨、鸡蛋各 2 个,鲜橙 1 个,木瓜半个,葱花、生粉各少许,冰糖碎 3 茶匙。

【做法】 将雪梨去皮、去核,切片;鲜橙去皮切片;木瓜去皮、瓤籽,切片;鸡蛋打入碗中,取其蛋清待用。起锅注入适量清水烧沸,放入雪梨片、木瓜片煲 15 分钟至稔,加入冰糖碎调味,勾薄芡,推入蛋清,放入鲜橙片,盛入汤碗,撒入葱花即可。

【功效】 适用于口腔溃疡。

二十三、咽喉病

1 罗汉果 茶

【原料】 罗汉果 20 克,绿茶 2 克。

【做法】 先将罗汉果洗净,晒干或烘干,切碎,与绿茶同放入大杯中,用刚煮沸的水冲泡,加盖闷 10 分钟,即可饮用。当茶,频频饮服,一般可冲泡 3～5 次,直至冲泡茶汁淡时为止。

【功效】 适用于喉部疾病。

2 银花甘草桔梗 茶

【原料】 金银花 30 克,生甘草 3 克,桔梗 10 克,绿茶 2 克。

【做法】 先将金银花、生甘草、桔梗分别拣杂,洗净,凉干或晒干,生甘草、桔梗切成片,与金银花同放入砂锅,加水适量,大火煮沸,放入绿茶,改用小火煎煮 20 分钟,用洁净纱布过滤,取汁放入容器。每日 2 次。

【功效】 适用于扁桃体炎急性期。

3 鲜威灵仙丝瓜汁

【原料】 鲜威灵仙 100 克,新鲜嫩丝瓜 3 条。

【做法】 先将鲜威灵仙全草拣杂,保留其根,洗净后放入温水中浸泡 30 分钟,取出,切成碎小段,放入碗中。将新鲜嫩丝瓜洗净,去蒂柄,切碎,与切成碎小段的鲜威灵仙同放入榨汁机中,搅打取汁,用洁净纱布过滤,取得滤汁放入大杯中,即成。每日 2 次。

【功效】 适用于扁桃体炎急性期。

多吃花生! 花生富含对人有益的不饱和脂肪酸,不含胆固醇,且花生红皮可促使血小板生成,因此吃花生最好连红皮一起吃。

4 酿苦瓜

【原料】苦瓜1条，猪肉适量，盐5克，味精5克，米酒10克，麻油5克，淀粉5克，蒜末5克，酱油15克，葱末15克，红辣椒末15克，豆豉15克，色拉油15克，盐5克，糖5克。

【做法】苦瓜洗净去籽，切成圆柱状后以适量盐及淀粉涂抹均匀备用。将猪肉馅与调味料搅拌均匀，摔打成有黏性的肉馅。将肉馅镶入苦瓜内，排入刷好油的盘中，再加入5克盐、5克糖，用高功率加热15分钟即可。

【功效】适用于咽喉疼痛。

5 蒲公英土牛膝蜜饮

【原料】蒲公英30克，土牛膝30克，蜂蜜20克。

【做法】先将蒲公英、土牛膝分别拣杂，洗净，凉干，切碎，同放入砂锅，加水浸泡片刻，煎煮20分钟，用洁净纱布过滤取汁，放入容器，趁温热加入蜂蜜，拌匀即成。每日2次。

【功效】适用于扁桃体炎急性期。

6 山豆根蜜饮

【原料】山豆根15克，生甘草6克，蜂蜜20克。

【做法】先将山豆根、生甘草分别洗净，凉干或晒干，切成片，同放入砂锅，加水煎煮20分钟，用洁净纱布过滤取汁，放入容器，趁温热加入蜂蜜，拌匀即成。每日2次。

【功效】适用于扁桃体炎急性期。

7 萝卜青果茶

【原料】白萝卜 300 克,青果 10 枚,精盐、味精各适量。

【做法】先将白萝卜、青果分别洗净,白萝卜刨去外皮,切成片或切成条状,与青果同放入砂锅,加水适量,大火煮沸,改用小火煮 30 分钟,加适量精盐、味精,拌匀即成。当茶,每日 2 次。

【功效】适用于慢性扁桃体炎。

8 酸梅青果饮

【原料】酸梅 15 克,青果 10 枚。

【做法】先将青果洗净,与酸梅同放入砂锅,加水适量,用中火煎煮 30 分钟,即可。每日 2 次。

【功效】适用于慢性扁桃体炎。

9 玄麦甘草桔梗茶

【原料】玄参 15 克,麦冬 15 克,生甘草 3 克,桔梗 10 克。

【做法】先将玄参、麦冬、生甘草、桔梗分别拣杂,洗净,凉干后切成片,同放入砂锅,加水适量,煎煮 30 分钟,用洁净纱布过滤取汁,放入容器。每日 2 次。

【功效】适用于慢性扁桃体炎。

10 青果噙化方

【原料】青果 10 枚。

【做法】青果洗净后放入碗中,用淡盐开水浸泡片刻即可食用。每日 2 次,每次 5 枚。

【功效】适用于慢性扁桃体炎。

11 苦瓜煎烙角

【原料】嫩苦瓜 50 克,火腿 10 克,鸡蛋 1 个,花生油 20 克,盐 3 克,味

小贴士

上班族健康饮品:绿豆薏仁汤可祛燥除烦;绿茶能缓解紧张;杜仲茶有补血、强壮筋骨之效;枸杞茶缓解眼睛酸涩。

精5克,麻油5克,胡椒粉、干生粉各适量。

【做法】嫩苦瓜去籽切粒,用开水烫去苦味;火腿切粒;鸡蛋打散入碟内。在鸡蛋内调入盐、味精、胡椒粉、麻油、嫩苦瓜粒、生粉、火腿粒,拌匀。烧锅下油,待油热时倒入鸡蛋、苦瓜,推匀成圆饼,用小火煎至两面金黄时铲起,切三角块,摆入碟内即可。

【功效】适用于咽喉疼痛。

12

沙参玉竹煲老鸭

【原料】沙参30克,玉竹30克,老鸭1只,料酒、精盐、味精、麻油各适量。

【做法】先将沙参、玉竹分别洗净,晒干或烘干,切成片,同放入纱布袋,扎紧袋口,备用;将老鸭宰杀、洗净,放入沸水锅中焯透,捞出,用温水冲一下,放入砂锅,加沙参、玉竹药袋及清水足量,大火煮沸,烹入料酒,改用小火煲1小时,取出药袋,加葱花末适量,继续用小火煮至老鸭肉熟烂如酥,加精盐、味精,拌和均匀,淋入麻油即成。佐餐当菜,随意服食,当日吃完。

【功效】适用于慢性扁桃体炎。

附录一　食物营养成分

表1　谷类及其制品营养成分(食部100克)

食物名称	食部 (%)	水分 (ml)	蛋白质 (g)	脂肪 (g)	糖类 (g)	热能 (KJ)	钙 (mg)	磷 (mg)	铁 (mg)	钾 (mg)	胡萝卜素 (mg)	硫胺素 (mg)	核黄素 (mg)	烟酸 (mg)	抗坏血酸 (mg)
稻米(籼、糙)	100	13.0	8.3	2.5	74.2	1477	14	285	—	172	0	0.34	0.07	2.5	0
稻米(粳、糙)	100	14.0	7.1	2.4	74.5	1456	13	252	—	110	0	0.35	0.08	2.3	0
稻米(红)	100	15.8	7.5	2.9	71.8	1435.1	25	250	3.0	—	0	—	—	—	0
糯米	100	14.6	6.7	1.4	76.3	1443.5	19	155	6.7	231	0	0.19	0.03	2.0	0
糯米(紫)	100	12.8	8.2	1.7	75.7	1468.6	17	179	2.6		0	0.21	0.15	2.3	0
标准粉	100	12.0	9.9	1.8	74.6	1481.1	38	268	4.2	195	0	0.46	0.06	2.5	0
富强粉	100	13.0	9.4	1.4	75.0	1464.4	25	162	2.6	127	0	0.24	0.07	2.0	0
麦麸	100	12.2	14.1	3.9	53.6	1280.3	95		10.0		0	0.64	0.28	14.4	0
大麦粒	100	11.9	10.5	2.2	66.3	1368.2	43	400	4.1	231	0	0.36	0.10	4.8	0
荞麦面	100	11.6	10.6	2.5	72.2	1481.1	15	190	1.2	537	0	0.38	0.22	4.1	0
小米	100	11.1	9.7	3.5	72.8	1514.6	29	240	4.7	239	0.19	0.57	0.12	1.6	0
玉米(黄、鲜)	66	51.4	3.8	2.3	40.2	820	1	187	1.5	—	0.34	0.21	0.06	1.6	10
玉米(白、鲜)	25	73.7	2.1	1.2	21.7	447.7	1	187	1.5		0.01	—	—		10
玉米(白)	100	12.0	8.5	4.2	72.2	1514.6	22	210	1.6	342	0	0.35	0.09	2.1	0
玉米糁(黄)	100	12.7	9.2	2.5	76.1	1456	20	190	3.6	164	0.23	0.19	0.06	2.0	0
玉米糁(白)	100	10.1	9.5	2.6	75.6	1507					0	0.13	0.13	1.7	0
玉米面(黄)	100	13.4	8.4	4.3	70.2	1477	34				0	0.13	0.31	0.10	2.0
玉米面(白)	100	12.8	8.4	6.1	68.6	1527.2	19				0	0.35	0.09	2.5	0
高粱糁(红)	100	15	7.9	4.5	70.7	1485.3	7	188	4.1	—	0	0.36	—	4.1	0
高粱糁(白)	100	13.8	8.9	2.7	70.9	1477	18	276	5.5	—	0	0.37	—	2.4	0
高粱面(红)	100	16.3	7.5	2.6	70.8	1410	44			—	0	0.27	0.09	2.8	0
米饭(标准米、碗蒸)	100	69.0	2.8	0.5	27.2	518.8	5	91	1.0		0	0.04	0.02	0.6	0
面条(切面)	100	33.0	7.4	1.4	56.4	1121.3	60	203	4.0		0	0.35	0.04	1.9	0
挂面(干切面)	100	14.1	9.6	1.7	70.7	1397.5	88	260	4.1		0	0.30	0.02	2.0	0

钙可强骨固齿，且与人体内分泌平衡等关系密切，中年人、糖尿病人、孕妇和哺乳期妇女，饮酒、喝茶、喝咖啡者，绝经后妇女等都应补钙。

食物名称	食部 (%)	水分 (ml)	蛋白质 (g)	脂肪 (g)	糖类 (g)	热能 (KJ)	钙 (mg)	磷 (mg)	铁 (mg)	钾 (mg)	胡萝卜素 (mg)	硫胺素 (mg)	核黄素 (mg)	烟酸 (mg)	抗坏血酸 (mg)
面条(富强粉,煮)	100	70.0	3.1	0.1	26.3	493.7	19	57	1.1	—	0	0.06	0.02	0.6	0
馒头(标准粉)	100	44.0	6.3	1.2	47.5	941.4	24	171	2.7		0	0.31	0.05	2.3	0
烙饼(标准粉)	100	37.0	6.6	2.3	52.4	1064	40	192	—		0	0.28	0.03	1.7	0
烧饼	100	34.0	7.4	1.4	55.9	1113	29	200	3.2		0	0.21	0.05	2.3	0
油饼	100	31.2	7.8	10.4	47.7	1322.1	25	153	—	290	0	0.14	—	2.2	0
脆麻花	100	5.2	9.9	19.2	62.8	1941.4	50	163	—	385	0	0.09	0.04	2.6	0
小米粥	100	92.0	0.9	0.7	6.8	138.1	2	22	0.1			0.01	0.03	0.1	0
窝窝头	100	54.0	7.2	3.2	33.3	799.1	33	151	2.1			0.15	0.07	1.0	0
面筋(水)	100	74.8	22.5	0.1	1.3	405.8	78	200	6.2	8.4		—	—	—	0
面筋(油)	100	28.8	29.0	29.5	11.6	1790.8	48	149	8.0	81		0.14	0.07	2.4	0

注：* 食部,指从市场上购来食品,去掉不可食的部分之后,所剩余的可食部分。

表2　干豆、硬果类及其制品营养成分(食部100克)

食物名称	食部 (%)	水分 (ml)	蛋白质 (g)	脂肪 (g)	糖类 (g)	热能 (KJ)	钙 (mg)	磷 (mg)	铁 (mg)	钾 (mg)	胡萝卜素 (mg)	硫胺素 (mg)	核黄素 (mg)	烟酸 (mg)	抗坏血酸 (mg)
青豆	100	7.2	41.2	17.9	24.2	1774	200	546	6.7	1780	—	0.66	0.32	1.9	0
黄豆	100	10.2	36.3	18.4	25.3	1723.8	367	571	11.0	1810	0.40	0.79	0.25	2.1	0
黑豆	100	7.8	49.8	12.1	18.9	1606.7	250	450	10.5	1759	0.40	0.51	0.19	2.5	0
红小豆	100	9.0	21.7	0.8	60.7	1410	76	386	4.5	1230	—	0.43	0.16	2.1	0
绿豆	100	9.5	23.8	0.5	58.5	1401.6	80	360	6.4	1298	0.22	0.53	0.12	1.8	0
芸豆(白)	100	11.3	23.1	1.3	56.9	1389.1	165	410	7.3	—	0	0.50	0.25	1.7	0
芸豆(紫)	100	12.0	23.1	1.7	56.1	1389.1	163	437	6.7	—	0	0.32	0.14	1.7	0
扁豆(白)	100	8.9	20.4	1.1	60.5	1397.5	57	368	6.0	—	0	0.59	0.14	1.7	0
豇豆	100	13.0	22.0	2.0	55.5	1372.4	100	456	7.6	1520	0	0.33	0.11	2.4	0
蚕豆(带皮)	100	13.0	28.2	0.8	48.6	1313.8	71	340	7.0	—	0	0.39	0.27	2.6	0

续上表

食物名称	食部(%)	水分(ml)	蛋白质(g)	脂肪类(g)	糖类(g)	热能(KJ)	钙(mg)	磷(mg)	铁(mg)	钾(mg)	胡萝卜素(mg)	硫胺素(mg)	核黄素(mg)	烟酸(mg)	抗坏血酸(mg)
蚕豆(去皮)	100	16.0	29.4	1.8	47.5	1355.6	93	225	6.2	—	—	—	—	—	0
蚕豆(青,去皮)	100	9.9	31.9	1.4	52.0	1456	61	560	5.4	—	—	0.52	0.52	3.2	0
蚕豆(炸,咸)	100	11.0	28.2	8.9	47.2	1598.3	55	222	6.7	—	—	—	—	—	0
豌豆	100	10.0	24.6	1.0	57.0	1401.6	84	400	5.7	—	—	0.04	1.02	0.12	2.7	0
花生(生)	63	7.3	24.6	48.7	15.3	2502	36	383	2.0	1004	—	—	—	—	0
花生(炒)	67	3.4	27.6	41.2	23.0	2397.4	71	399	2.0	—	—	0.10	0.21	0.14	13.1	0
花生仁(生)	99	8.0	26.2	39.2	22.1	2284.4	67	378	1.9	—	—	0.04	1.07	0.11	9.5	0
花生仁(炒)	96	2.7	26.5	44.8	20.2	2468.6	71	399	2.0	—	—	0.26	0.18	0.18	11.7	0
西瓜子(炒)	40	3.7	31.4	39.1	19.1	2326.3	237	751	8.3	—	—	0.18	0.15	0.14	2.7	0
南瓜子(炒)	68	3.1	35.1	31.8	23.3	2175.7	235	670	6.7	—	—	0.47	0.15	0.15	3.0	0
葵花子(生)	60	7.8	23.1	51.1	9.6	2472.7	42	334	4.0	815	—	—	—	—	0
核桃	42	3.6	15.4	63.0	10.7	2807.5	108	329	3.2	536	0.17	0.32	0.11	1.0	0
杏仁(生)	100	5.8	24.9	49.6	8.5	2426.7	140	352	5.1	716	0.10	—	—	—	10
杏仁(炒)	91	2.1	25.7	51.0	9.6	2510.4	141	202	3.9	—	0.10	0.15	0.71	2.5	0
栗子(生)	79	53.0	4.0	1.1	39.9	778.2	15	77	1.5	—	0.02	0.07	0.15	1.0	60
栗子(熟)	78	46.6	4.8	1.5	44.8	887	15	91	1.7	381	0.24	0.19	0.13	1.2	25
松子仁	100	2.7	16.7	63.5	9.8	2836.8	78	236	6.7	—	—	—	—	—	0
莲子(鲜)	45	83.1	4.9	0.6	9.2	259.4	18	54	1.2	—	0.02	0.17	0.09	1.7	17
莲子(干)	98	13.5	16.6	2.0	61.8	1389.1	89	285	6.4	—	—	—	—	—	0
豆浆	100	91.8	4.4	1.8	1.5	167.4	25	45	2.5	110	—	0.03	0.01	0.1	0
豆腐脑(带卤)	100	91.3	5.3	1.9	0.5	167.4	20	56	0.6	—	—	0.04	0.03	0.2	0
豆腐(南)	100	90.0	4.7	1.3	2.8	251	240	64	1.4	130	—	0.06	0.03	0.2	0
豆腐(北)	100	85.0	7.4	3.5	2.7	301.2	277	57	2.1	163	—	0.03	0.03	0.2	0
油豆腐	100	45.2	24.6	20.8	7.5	1322.1	156	299	9.4	149	—	0.06	0.04	0.5	0
豆腐干	100	64.9	19.2	6.7	6.7	686.2	117	204	4.6	160	—	0.25	0.05	0.5	0
豆腐干(熏干)	100	65.2	18.9	7.4	5.9	694.5	102	205	5.3	162	—	0.05	0.05	0.4	0
豆腐片	100	55.8	24.0	11.7	6.0	845.2	199	281	6.7	116	—	0.05	0.04	0.2	0

夏天需"冰镇"的药物：滴眼液、滴鼻液、滴耳液、洗剂等外用药品，以及糖尿病患者使用的胰岛素需放入冰箱，一般的糖浆制剂不需要。

![食 疗]

续上表

食物名称	食部(%)	水分(ml)	蛋白质(g)	脂肪(g)	糖类(g)	热能(KJ)	钙(mg)	磷(mg)	铁(mg)	钾(mg)	胡萝卜素(mg)	硫胺素(mg)	核黄素(mg)	烟酸(mg)	抗坏血酸(mg)
腐竹	100	7.1	50.5	23.7	15.3	1995.8	280	598	15.1	705	—	0.21	0.12	0.7	0
豆腐皮（油皮）	100	16.1	44.8	21.8	12.7	1782.4	223	620	31.2	1306	—	0.30	0.17	1.5	0
凉粉	100	95.0	0.02	0.01	4.9	83.7	2	1	0.9	—	0	—	—	—	0

表3　水果和水果制品营养成分（食部100克）

食物名称	食部(%)	水分(ml)	蛋白质(g)	脂肪(g)	糖类(g)	热能(KJ)	钙(mg)	磷(mg)	铁(mg)	钾(mg)	胡萝卜素(mg)	硫胺素(mg)	核黄素(mg)	烟酸(mg)	抗坏血酸(mg)
苹果	81	84.6	0.4	0.5	13.0	242.7	11	9	0.3	110	0.08	0.01	0.01	0.1	微量
海棠	84	75.0	0.2	0.2	22.4	384.9	66	6	1.3	—	0.46	0.01	0.02	0.2	2
鸭梨	93	89.3	0.1	0.1	9.0	154.8	5	6	0.2	115	0.01	0.02	0.01	0.1	4
烟台梨	77	86.0	—	—	—	—	—	—	—	120	0.02	0.01	0.01	0.2	1
桃	73	87.5	0.8	0.1	10.7	196.6	8	20	1.2	—	0.06	0.01	0.02	0.7	6
杏	90	85.0	1.2	0	11.1	205	26	24	0.8	370	1.79	0.02	0.03	0.6	7
李	95	90.0	0.5	0	8.8	163.2	17	20	0.5	176	0.11	0.02	0.02	0.3	1
梅	94	79.6	0.9	0	18.9	330.5	—	—	—	—	—	—	—	—	—
草莓	98	90.7	1.0	0.6	5.7	133.9	32	41	1.1	135	0.01	0.02	0.02	0.3	35
樱桃	75	89.2	1.2	0.3	7.9	163.2	—	—	—	258	0.33	0.02	0.04	0.7	11
柿	70	82.4	0.7	0.1	10.8	196.6	10	19	0.2	170	0.15	0.01	0.02	0.3	11
石榴	40	76.8	1.5	1.6	16.8	368.2	11	105	0.4	—	—	—	—	—	11
枣（鲜）	91	73.4	1.2	0.2	23.2	414.2	14	23	0.5	—	0.01	0.06	0.04	0.6	540
枣（干）	85	19.0	3.3	0.4	72.8	1288.7	61	55	1.6	430	0.01	0.06	0.15	1.2	12
红果	69	74.0	0.7	0.2	22.1	389.1	68	25	2.1	289	0.82	0.02	0.05	0.4	89
荔枝（鲜）	63	84.8	0.7	0.6	13.3	255.2	6	34	0.5	193	0	0.02	0.04	0.7	3
荔枝（干）	34	34.0	4.5	0.3	56.4	1029.3	—	—	—	—	—	—	—	—	—
桂圆（鲜）	53	81.4	1.2	0.1	16.2	297.1	13	26	0.4	392	0	0.04	0.03	1.0	60

230　绿色营养食谱 in

续上表

食物名称	食部 (%)	水分 (ml)	蛋白质 (g)	脂肪 (g)	糖类 (g)	热能 (KJ)	钙 (mg)	磷 (mg)	铁 (mg)	钾 (mg)	胡萝卜素 (mg)	硫胺素 (mg)	核黄素 (mg)	烟酸 (mg)	抗坏血酸 (mg)
蚕豆(去皮)	100	16.0	29.4	1.8	47.5	1355.6	93	225	6.2	—	—	—	—	—	0
桂圆(干)	39	26.9	5.0	0.2	65.4	1184.1	30	118	4.4	—	—	0.10	0.6	2.5	34
芒果	78	82.4	0.6	0.5	15.1	297.1	7	22	0.3	304	3.81	0.06	0.06	0.9	41
枇杷	66	91.6	0.4	0.1	6.6	121.3	—	—	—						
无花果	74	83.6	1.0	0.2	12.6	242.7	49	23	0.4	—	0.05	0.04	0.03	0.3	1
无花果(干)	100	18.8	4.3	0.3	74.2	1326.3	270	96	2.9						
桑葚(紫)	95	82.0	—	—	—		—				0.01	0.03	0.06	0.9	19
桑葚(白)	94	85.0	—	—	—						0.01	0.03	0.06		5
西瓜	54	94.1	1.2	0	4.2	92	6	10	0.2	124	0.17	0.02	0.02	0.2	3
香蕉	56	77.1	1.2	0.6	19.5	368.2	9	31	0.6	472	0.25	0.02	0.05	0.7	6
菠萝	53	89.3	0.4		9.3	175.7	18	28	0.5	147	0.08	0.08	0.02		24
椰子肉(鲜)	100	47.0	3.4	35.3	10.1	1552.3	21	98	2.0	—	0	0.10	0.01	0.2	2
柚	61	84.8	0.7	0.6	12.2	238.5	41	43	0.9	257	0.12	0.07			41
橙	73	86.1	0.8	0.1	12.2	217.6	58	15		182	0.11	0.08	0.01		54
柑橘	73	85.4	0.9		12.8	234.3	56	15	0.2	199	0.55	0.08	0.03		54
橄榄	80	79.9			12.0	259.4	204	60	1.4	469					21
柠檬	70	89.3	1.0	0.7	8.5	184.1	24	18	2.8	130	0	0.02			40
甘蔗	82	84.2	0.2	0.5	12.4	230.3	8	4	1.3	89					
甘蔗汁	100	82.9	0.1	0.1	16.6	284.5									
葡萄(圆,紫)	87	87.9	0.4	0.6	8.2	167.4	4	7	0.8	124	0.04	0.05	0.01	0.2	微量
葡萄(白,长)	75	88.5	0.4	0.5	9.2	179.9	4	15	0.6	126	0.04	0.03	0.01	0.1	微量
葡萄干	95	14.6	2.6	0.3	78.9	1376.5	64	132	2.1	—	0.04	0.03	0.06		—
杏干	100	28.3	2.6		59.3	1050.2	72	119	5.4	—	3.4	0.09	0.15		3
梅干	100	28.1	3.4	0.6	56.3	1020.9									

小贴士

　　盐摄入量越多，身体排出的钙也就越多，少吃盐是最经济实惠的补钙方法，按照世卫组织推荐标准，每人每日吃5克盐为宜，不要超过6克。

表4 蔬菜和蔬菜制品营养成分（食部100克）

食物名称	食部(%)	水分(ml)	蛋白质(g)	脂肪(g)	糖类(g)	热能(KJ)	钙(mg)	磷(mg)	铁(mg)	钾(mg)	胡萝卜素(mg)	硫胺素(mg)	核黄素(mg)	烟酸(mg)	抗坏血酸(mg)
大白菜(白口)	68	95.6	1.1	0.2	2.1	62.8	61	37	0.5	199	0.01	0.02	0.04	0.3	20
大白菜(青口)	68	95.4	1.1	0.2	2.4	66.9	41	35	0.6	—	0.04	0.02	0.04	0.3	19
小白菜(白口)	99	94.5	1.3	0.2	2.3	71.1	93	50	1.6	—	1.49	0.03	0.08	0.6	40
小白菜(青口)	99	93.3	2.1	0.4	2.3	87.9	163	48	1.8	—	2.95	0.03	0.08	0.6	60
油菜(春)	96	93.5	2.6	0.4	2.0	92	140	30	1.4	—	3.15	0.08	0.11	0.9	51
油菜(秋)	96	95.0	1.2	0.3	2.3	71.1	140	26	0.7	—	1.28	0.08	0.11	0.9	37
圆白菜(甘蓝,洋白菜)	86	94.4	1.1	0.2	3.4	83.7	32	20	0.3	200	0.02	0.04	0.04	0.3	38
雪里蕻(雪里红)	85	91.0	1.6	0.2	2.9	117.2	235	64	3.4	401	1.46	0.07	0.14	0.8	83
菠菜	89	91.8	2.4	0.5	3.1	113	72	53	1.8	502	3.87	0.04	0.13	0.6	39
蕹菜(空心菜)	75	90.1	2.3	0.3	4.5	125.5	100	37	1.4	—	2.14	0.06	0.16	0.7	28
莴笋	49	46.4	0.6	0.1	1.9	46	7	31	2.0	318	0.02	0.03	0.02	0.5	1
茴香菜	82	92.9	2.3	0.3	2.2	87.9	150	34	1.2	231	2.61	0.05	0.12	0.7	28
芫荽(香菜)	85	88.3	2.0	0.3	6.9	159	170	49	5.6	631	3.77	0.14	0.15	1.0	41
芹菜(茎)	74	94.0	2.2	0.3	1.9	79.5	160	61	8.5	163	0.11	0.03	0.04	0.3	6
韭黄	77	94.0	1.5	0.1	3.3	83.7	17	14	1.8	—	微量	0.03	0.04	0.5	7
韭菜	93	92.0	2.1	0.6	3.2	113	48	46	1.7	290	3.21	0.03	0.09	0.9	39
青蒜	71	89.4	3.2	0.3	4.9	146.4	30	41	0.6	340	0.96	0.11	0.10	0.8	77
蒜黄	95	92.9	3.1	0.2	2.0	92	37	75	1.6	197	0.03	0.12	0.07	0.4	16
蒜苗	83	86.4	1.2	0.3	9.7	192.5	22	53	1.2	183	0.20	0.14	0.06	0.5	42
大蒜	29	69.8	4.4	0.2	23.6	472.8	5	44	0.4	130	0	0.24	0.03	0.9	3
大葱	71	91.6	1.0	0.3	6.3	133.9	12	46	0.6	466	1.20	0.08	0.05	0.5	14
小葱	73	92.5	1.4	0.3	4.1	104.6	63	28	1.0	226	1.60	0.05	0.07	0.5	12
葱头(洋葱)	79	88.3	1.8	0	8.0	163.2	40	50	1.8	138	微量	0.03	0.02	0.2	8
香椿	85	83.3	5.7	0.4	7.2	230.1	110	120	3.4	548	0.93	0.21	0.13	0.7	56
菜花(花椰菜)	53	92.6	2.4	0.4	3.0	104.6	18	53	0.7	316	0.08	0.06	0.08	0.8	88
萝卜缨(水萝卜)	100	93.5	1.6	0.3	2.0	75.3	166	32	0.9	197	2.89	0.04	0.12	0.5	20
红萝卜(小)	63	94.5	0.9	0.2	3.8	87.9	23	24	0.6	165	0.01	0.03	0.03	0.4	27

续上表

食物名称	食部分(%)	水分(ml)	蛋白质(g)	脂肪(g)	糖类(g)	热能(KJ)	钙(mg)	磷(mg)	铁(mg)	钾(mg)	胡萝卜素(mg)	硫胺素(mg)	核黄素(mg)	烟酸(mg)	抗坏血酸(mg)
红萝卜(大)	83	91.1	0.8	0.1	6.6	125.5	61	28	0.7	280	0.01	0.02	0.03	0.8	19
胡萝卜(红)	79	89.3	0.6	0.3	8.3	159	19	29	0.7	—	1.35	0.04	0.04	0.4	12
胡萝卜(黄)	89	89.6	0.6	0.3	7.6	146.4	32	30	0.6	—	3.62	0.02	0.05	0.3	13
甘薯(红薯)	87	67.1	1.8	0.2	29.5	531.4	18	20	0.4	503	1.31	0.12	0.04	0.5	30
甘薯片(白薯干)	100	10.9	3.9	0.8	80.3	1439.3	128	—	—	—	—	0.28	0.12	1.8	—
甘薯粉(白薯面)	100	11.3	3.8	0.8	79.0	1414.2	123	—	—	—	—	0.23	0.11	2.3	—
马铃薯(土豆)	88	79.9	2.3	0.1	16.6	322.2	11	64	1.2	502	0.01	0.10	0.03	0.4	16
山药	95	82.6	1.5	0	14.4	267.8	14	42	0.3	452	0.02	0.08	0.02	0.3	4
春笋	30	92.0	2.1	0.1	4.4	113	11	57	0.5	553					
冬笋	39	88.1	4.1	0.1	5.7	167.4	22	56	0.1	587	0.08	0.08	0.08	0.6	1
玉兰片(干)	100	18.0	18.6	1.7	47.8	1175.7	140	290	3.7	2260	—				
姜	100	87.0	1.4	0.7	8.5	192.5	20	45	7.0	387	0.18	0.01	0.04	0.4	
黄豆芽	100	77.0	11.5	2.0	7.1	384.9	86	102	1.8	330	0.03	0.17	0.11	0.8	4
青豆芽	90	67.0	15.5	4.9	9.9	610.9	29	23	2.6	668	0.08	0.33	0.10	1.2	19
绿豆芽	100	91.9	3.2	0.1	3.7	121.3	23	51	0.9	160	0.04	0.07	0.06	0.7	6
毛豆	42	69.8	13.6	5.7	7.1	560.7	100	219	6.4	579	0.28	0.33	0.16	1.7	25
菜豆	94	92.2	1.5	0.2	4.7	113	44	39	1.1	286	0.24	0.08	0.12	0.7	9
扁豆	92	89.6	2.8	0.2	5.4	146.4	116	63	1.5	—	0.32	0.05	0.07	0.7	13
豇豆(豆角)	95	90.7	2.4	0.2	4.7	125.5	53	63	1.0	210	0.89	0.09	0.08	1.0	19
豇豆(长)	95	90.4	2.7	0.2	4.8	129.7	—	—	—	200					
豌豆	34	78.3	7.2	0.3	12.0	334.7	13	90	0.8	425	0.15	0.54	0.08	2.8	14
豌豆苗	47	90.0	4.9	0.3	2.6	138.1	—	—	—	—	1.59	0.15	0.19	0.9	53
蚕豆	23	77.1	9.0	0.7	11.7	372.4	15	217	1.7	448	0.15	0.33	0.18	2.9	12
倭瓜(南瓜)	71	91.9	0.6	0.1	5.7	108.8	10	32	0.5	287	0.57	0.04	0.04	0.7	5
角瓜(白南瓜)	79	94.7	0.8	0	3.3	66.9	27	22	0.2	190	0.06	0.03	0.02	0.3	3
西葫芦	73	95.5	0.7	0	2.4	50.2	22	6	0.2	122	0.01	0.02	0.02	0.3	1
冬瓜	76	96.5	0.4	0	2.4	46	19	12	0.3	136	0.01	0.01	0.01	0.3	16

喝杯热茶帮你度夏，喝热茶可促血液流向体表面，汗孔洞开，有助汗液排出，散发热量。老人、肥胖者、高脂血病人等盛夏喝热茶有裨益。

食物名称	食部 (%)	水分 (ml)	蛋白质 (g)	脂肪 (g)	糖类 (g)	热能 (KJ)	钙 (mg)	磷 (mg)	铁 (mg)	钾 (mg)	胡萝卜素 (mg)	硫胺素 (mg)	核黄素 (mg)	烟酸 (mg)	抗坏血酸 (mg)
黄瓜	86	96.9	0.6	0.2	1.6	46	19	29	0.3	—	0.13	0.04	0.04	0.3	6
丝瓜	93	92.9	1.5	0.1	4.5	104.6	28	45	0.8	156	0.32	0.04	0.06	0.5	8
苦瓜	82	94.0	0.9	0.2	3.2	75.3	18	29	0.6	200	0.08	0.07	0.04	0.3	84
茄子（紫皮）	96	93.2	2.3	0.1	3.1	96.2	22	31	0.4	152	0.04	0.03	0.04	0.5	3
茄子（绿皮）	95	95.7	0.7	0.2	2.5	62.8	—	—	—	—	—	—	—	—	—
番茄（西红柿,红）	97	95.9	0.8	0.3	2.2	62.8	8	24	0.4	191	0.37	0.03	0.02	0.6	8
辣椒（尖,青）	56	92.4	1.6	0.2	4.5	108.8	12	40	0.8	300	0.73	0.04	0.03	0.3	185
辣椒（尖,红）	94	85.5	1.4	0.3	11.6	23.8	20	49	1.2	—	1.43	—	—	—	171
辣椒（干）	94	7.8	15.0	8.2	61.0	1581.6	85	380	1.7	1470	16.89	0.61	0.90	8.1	28
柿子椒（青）	86	93.9	0.9	0.2	3.8	87.9	11	27	0.7	—	0.36	0.04	0.04	0.7	89
柿子椒（红）	98	91.5	1.0	0.4	5.3	125.5	13	36	0.8	—	1.60	0.06	0.08	1.5	159
榨菜	100	73.8	4.1	0.2	9.2	230.1	280	130	6.7	1260	0.04	0.04	0.09	0.7	—

表5 鱼、贝及其制品营养成分（食部100克）

食物名称	食部 (%)	水分 (ml)	蛋白质 (g)	脂肪 (g)	糖类 (g)	热能 (KJ)	钙 (mg)	磷 (mg)	铁 (mg)	钾 (mg)	维生素A (IU)	硫胺素 (mg)	核黄素 (mg)	烟酸 (mg)
鳕鱼	48	82.6	16.5	0.4	—	292.9	—	—	—	—	—	—	—	—
鲈鱼	58	78.1	17.5	3.1	0.3	414.2	56	131	1.2	—	—	微量	0.23	1.7
小黄鱼	63	79.2	16.7	3.6	—	414.2	43	127	1.2	284	—	0.01	0.14	0.7
带鱼	72	74.1	18.1	7.4	—	581.6	24	160	1.1	220	—	0.01	0.09	1.9
青鱼	68	74.5	19.5	5.2	—	523	25	171	0.8	—	—	0.13	0.12	1.7
草鱼	63	77.3	17.9	4.3	0	460.2	36	173	0.7	356	—	0.03	0.17	2.2
鲢鱼（白鲢）	60	76.2	18.6	4.8	0	493.7	28	167	1.2	318	—	0.04	0.21	2.1
鳙鱼（花鲢）	46	83.0	15.3	0.9	0	288.7	36	187	0.6	259	—	0.02	0.15	2.7
鲤鱼	62	77.4	17.3	5.1	0	481.2	25	175	1.6	359	—	微量	0.10	3.1

续上表

食物名称	食部(%)	水分(ml)	蛋白质(g)	脂肪(g)	糖类(g)	热能(KJ)	钙(mg)	磷(mg)	铁(mg)	钾(mg)	维生素A(IU)	硫胺素(mg)	核黄素(mg)	烟酸(mg)
鲫鱼	40	85.0	13.0	1.1	0.1	259.4	54	203	2.5	276	—	0.06	0.07	1.4
泥鳅	36	73.5	22.6	2.9	0	489.5	51	154	3.0	140		0.08	0.16	5.0
黄鳝	55	79.7	18.8	0.9	0	347.3	38	150	1.6	325		0.02	0.95	3.1
田螺	21	81.0	10.7	1.2	3.8	288.7	1357	191	19.8	179	—	—	—	
淡菜(胎贝)	100	13.0	59.1	7.6	13.4	1497.9	277	864	24.5	458			0.46	3.1
干贝	100	13.3	63.7	3.0	15.0	1430.9	47	886	2.9					
蛤蜊	20	80.0	10.8	1.6	4.6	318	37	82	14.2	—	400	0.03	0.15	1.7
鱿鱼	98	80.0	15.1	0.8	2.4	322.2	—	—	—		230	0.08	0.09	2.4
海蜇	100	65.0	12.3	0.1	3.9	276.1	182	微量	9.5			0.01	0.04	0.2
海参(水浸)	100	83.0	14.9	0.9	0.4	288.7	357	12	2.4	70		0.01	0.02	0.1
龙虾	38	79.2	16.4	1.8	0.4	347.3	—	—	—					
对虾	70	77.0	20.6	0.7	0.2	376.6	35	150	0.1	150	360	0.01	0.11	1.7
青虾	40	81.0	16.4	1.3	0.1	326.4	99	205	1.3	127	260	0.01		1.9
虾米	100	30.0	47.6	0.5		815.9	882	695	6.7	886		0.03	0.06	4.1
虾皮	100	20.0	39.3	3.0	8.6	916.3	2000	1005	5.5	—		0.03	0.07	2.5
海螃蟹	50	80.0	14.0	2.6	0.7	343.3	141	191	0.8	177	230	0.01	0.51	2.1
河螃蟹	30	71.0	14.0	5.9	7.4	581.6	129	145	13.0	259	5960	0.03	0.71	2.7
鳖(甲鱼)	55	79.3	17.3	4.0	0	439.3	15	94	2.5	—		0.62	0.37	3.7

表6　畜、禽及其制品营养成分(食部100克)

食物名称	食部(%)	水分(ml)	蛋白质(g)	脂肪(g)	糖类(g)	热能(KJ)	钙(mg)	磷(mg)	铁(mg)	钾(mg)	维生素A(IU)	硫胺素(mg)	核黄素(mg)	烟酸(mg)
猪肉(肥瘦)	100	29.3	9.5	59.8	0.9	2426.7	6	101	1.4	162	—	0.53	0.12	4.2
牛肉(肥瘦)	100	68.6	20.1	10.2	0	719.6	7	170	0.9	378	0	0.07	0.15	6.0
羊肉(肥瘦)	100	58.7	11.1	28.8	0.8	1284.5	—	—	—	249		0.07	0.13	4.9

头痛自查：晚上前额或太阳穴部位发生疼痛，视觉可能出现问题；剧烈的头痛伴随着颈部疼痛和高烧，可能患有脑膜炎。

食疗

食物名称	食部	水分	蛋白质	脂肪	糖类	热能	钙	磷	铁	钾	维生素A	硫胺素	核黄素	烟酸
	（%）	（ml）	（g）	（g）	（g）	（KJ）	（mg）	（mg）	（mg）	（mg）	（IU）	（mg）	（mg）	（mg）
驴肉	100	77.4	18.6	0.7	—	338.9	10	144	13.6	—				—
马肉	100	75.8	19.6	0.8	—	359.8	8	202	7.6	—				—
兔肉	100	77.2	21.2	0.4	0.2	372.4	16	175	2.0	—				—
猪头	32	45.3	13.4	41.3	0	1778.2	—	—	—	—				—
猪尾	87	17.4	4.8	77.1	0.4	2991.6	—	—	—	—				—
猪蹄	26	55.4	15.8	26.3	1.7	1284.5	—	—	—	—				—
猪蹄筋	100	19.5	75.1	1.8	2.0	1359.8	—	—	—	—				—
猪脑	100	78.7	10.2	8.9	0.8	518.8	137	315	1.6	—	0	0.14	0.19	2.8
猪舌	96	68.0	16.5	12.7	1.8	786.6	—	—	—	178	0	0.08	0.23	3.0
猪心	78	75.1	19.1	6.3	0	556.5	—	—	—	134	0	0.34	0.52	5.7
猪肝	100	71.4	21.3	4.5	1.4	548.1	11	270	25.0	230	8700	0.40	2.11	16.2
猪肺	100	83.3	11.9	4.0	0	351.5	12	230	3.4	—		0.02	0.14	0.6
猪肾	89	77.8	15.5	4.8	0.7	451.9	—	—	—	390	微量	0.38	1.12	4.5
猪肚	92	80.2	14.6	2.9	1.4	376.6	—	—	—	225		0.05	0.18	2.5
猪小肠	100	91.2	7.2	1.1	0.3	—	3	13	0.1	—				—
猪大肠	100	76.8	6.9	15.6	0.1	702.9	—	—	—	83				—
牛脑	100	77.1	10.4	11.0	0.2	589.9	13	351	0.9	—	0	0.13	0.21	3.8
牛舌	82	71.4	18.5	9.0	0.1	648.5	—	—	—	—	0	0.07	0.15	4.8
牛心	94	80.2	8.7	10.8	—	552.3	8	185	5.4	—		0.31	0.49	8.6
牛肝	100	69.1	21.8	4.8	2.6	589.9	13	400	9.0	350	18300	0.39	2.30	16.2
牛肺	100	79.7	16.4	3.2	—	393.3	7	81	6.7	—		0.01	0.14	1.1
牛肾	85	81.6	12.8	3.7	1.0	372.4	17	198	11.4	—	340	0.34	1.75	5.1
牛肚	100	80.5	14.8	3.7	0.5	397.5	22	84	0.9	—		0.04	0.20	3.6
牛蹄筋	100	69.1	30.2	0.3	0	518.8	—	—	—	—				
羊脑	100	76.0	11.0	11.4	0	615	21	358	6.7	—	0	0.14	0.27	3.5
羊舌	98	71.6	12.0	14.5	1.2	765.7	19	119	14.4	—	0	0.08	0.28	4.2
羊心	76	79.3	11.5	8.6	—	514.6	11	102	4.5	—		0.41	0.56	7.3

续上表

食物名称	食部 (%)	水分 (ml)	蛋白质 (g)	脂肪 (g)	糖类 (g)	热能 (KJ)	钙 (mg)	磷 (mg)	铁 (mg)	钾 (mg)	维生素A (IU)	硫胺素 (mg)	核黄素 (mg)	烟酸 (mg)
羊肝	100	69.0	18.5	7.2	3.9	644.3	—	—	—	421	29900	0.42	3.57	18.9
羊肺	100	75.9	20.2	2.8	0.9	460.2	17	66	9.3	—	0	0.03	0.45	1.2
羊肾	84	78.8	16.5	3.2	0.2	401.7	48	279	11.7	—	140	0.49	1.78	8.2
羊肚	95	84.3	7.1	7.2	0.9	405.8	34	98	1.4	—	0	0.03	0.21	1.8
鸡	34	74.2	21.5	2.5	0.7	464.4	11	190	1.5	3.4	—	0.03	0.09	8.0
鸡肫	67	75.2	22.2	1.3	0	422.6	48	150	6.6	—	—	0.04	0.20	4.8
鸡肝	100	75.1	18.2	3.4	1.9	464.4	21	260	8.2	—	50900	0.38	1.63	10.4
鸡心	100	72.2	20.7	9	—	556.5	—	177	5.0	—	—	0.24	0.77	5.7
鸭	24*	74.6	16.5	7.5	0.5	569	—	—	—	—	—	0.07	0.15	4.7
鸭肫	89	76.1	20.2	1.8	1.0	422.6	47	140	5.3	—	—	—	—	—
鸭肝	100	70.0	17.1	4.7	6.9	577.4	17	177	0.8	—	8900	0.44	1.28	9.1
鸭舌	74	68.6	14.4	15.6	0.8	9627.4	—	—	—	—	—	—	—	—
鸭掌	52	76.2	13.7	9.8	0	598.3	—	—	—	—	—	—	—	—
鹅	66	77.1	10.8	11.2	—	602.5	13	23	3.7	—	—	—	—	—
鹅肫	100	73.8	19.6	5.8	—	548.1	—	—	—	—	—	—	—	—
鹅肝	100	62.6	16.6	15.9	3.7	937.2	9	174	0.2	—	—	—	—	—

表7　乳及乳制品、蛋及蛋制品营养成分(食部100克)

食物名称	食部 (%)	水分 (ml)	蛋白质 (g)	脂肪 (g)	糖类 (g)	热能 (KJ)	钙 (mg)	磷 (mg)	铁 (mg)	钾 (mg)	维生素A (IU)	硫胺素 (mg)	核黄素 (mg)	烟酸 (mg)
人乳	100	87.6	1.5	3.7	6.9	280.3	34	15	0.1	—	250	0.01	0.04	0.1
牛乳	100	87.0	3.3	4.0	5.0	288.7	120	93	0.2	157	140	0.04	0.13	0.2
羊乳	100	86.9	3.8	4.1	4.3	288.7	140	106	0.1	—	80	0.05	0.13	0.3
马乳	100	90.6	2.1	1.1	5.8	175.7	—	—	—	—	—	—	—	—
乳酪(干酪)	100	31.6	28.8	35.9	0.3	1841	590	393	0.6	—	1280	0.08	0.50	0.2
全脂乳粉(牛乳)	100	2.0	26.2	30.6	35.5	2184	1030	883	0.8	140	1400	0.15	0.69	0.7

　　服用补铁剂用吸管好！　铁剂很容易沉积在牙齿上，时间长了会使牙齿变黑。　服用时最好用吸管，服后还需用凉开水漱口。

食物名称	食部 (%)	水分 (ml)	蛋白质 (g)	脂肪 (g)	糖类 (g)	热能 (KJ)	钙 (mg)	磷 (mg)	铁 (mg)	钾 (mg)	维生素A (IU)	硫胺素 (mg)	核黄素 (mg)	烟酸 (mg)
脱脂乳粉(牛乳)	100	3.0	36.0	1.0	52.0	1510.4	1300	1030	0.6	—	40	0.35	0.14	1.1
奶油	100	73.0	2.9	20.0	3.5	861.9	97	77	0.1	—	830	0.03	0.14	0.1
黄油	100	14.0	0.5	82.5	0	3117.1	15	15	0.2	—	2700	0	0.01	0.1
鸡蛋	85	71.0	14.7	11.6	1.6	711.3	55	210	2.7	60	1440	0.16	0.31	0.1
鸡蛋清	100	88.0	10.0	0.1	1.3	192.5	19	16	0.3	—	0	0	0.26	0.1
鸡蛋黄	100	53.5	13.6	30.0	1.3	1380.7	134	532	7.0	—	3500	0.27	0.35	微量
鸭蛋	87	70.0	8.7	9.8	3.1	686.2	71	210	3.2	60	1380	0.15	0.37	0.1
鹅蛋	90	69.0	12.3	14.0	3.7	795	75	243	3.2	—			0.35	0.1
鸽蛋	90	81.7	9.5	6.4	1.7	426.8	108	117	3.9					
鹌鹑蛋	89	72.9	12.3	12.3	1.5	694.5	72	238	2.9	—	1000	0.11	0.86	0.3
鸡蛋粉(全蛋粉)	100	1.9	42.2	34.5	13.4	2230.1	186	710	9.1	486	4862	0.23	1.28	0.4
鸡蛋黄粉(蛋黄粉)	100	3.0	31.7	53.0		2673.6	340	1200	14.0	—	2509	0.38	1.10	0.3
咸鸭蛋	87	65.6	11.3	13.3	3.4	748.9	—	—			1480	0.18	0.38	0.1
松花蛋(皮蛋)	88	71.7	13.1	10.7	2.2	661.1	58	200	0.9	—	940	0.02	0.21	0.1

表8　菌藻类及其他食品营养成分(食部100克)

食物名称	食部 (%)	水分 (ml)	蛋白质 (g)	脂肪 (g)	糖类 (g)	热能 (KJ)	钙 (mg)	磷 (mg)	铁 (mg)	钾 (mg)	胡萝卜素 (mg)	硫胺素 (mg)	核黄素 (mg)	烟酸 (mg)	抗坏血酸 (mg)
蘑菇(鲜)	97	93.3	2.9	0.2	2.4	96.2	8	66	1.3	328	—	0.11	0.16	3.3	4
蘑菇(干)	100	11.3	38.0	1.5	24.5	1104.6	—	—		4660					
口蘑	91	16.8	35.6	1.4	23.1	1033.4	100	1620	32.0	—					
香菇	72	18.5	13.0	1.8	54.0	1188.3				1960		0.07	1.13	18.9	
冬菇	100	10.8	16.2	1.8	60.2	1347.2	76	280	8.9	1320		0.16	1.59	23.4	
羊肚菌	100	13.6	24.5	2.6	39.7	1171.5									
银耳(白木耳)	100	10.4	5.0	0.6	78.3	1418.4	380			987		0.002	0.14	1.5	
木耳(黑木耳)	100	10.9	10.6	0.2	65.5	1280.3	357	201	185.0	773	0.03	0.15	0.55	2.7	—

续上表

食物名称	食部	水分	蛋白质	脂肪	糖类	热能	钙	磷	铁	钾	胡萝卜素	硫胺素	核黄素	烟酸	抗坏血酸
	(%)	(ml)	(g)	(g)	(g)	(KJ)	(mg)	(mg)	(mg)	(mg)	(mg)	(mg)	(mg)	(mg)	(mg)
海带	100	12.8	8.2	0.1	56.2	1079.5	1177	216	15.0	—	0.57	0.09	0.36	1.6	—
紫菜	100	10.3	28.2	0.2	48.5	1292.9	343	457	33.2	1640	1.23	0.44	2.07	5.1	1
猪油（炼制）	100	1.0	0	99.0	0	3727.9	0	0	0	0			0.01	0.1	0
植物油	100	0		100.0	0	3765.6				0	0.03		0.04		0
淀粉（芡粉）	100	13.0	0		86.6	1447.7	48	12	1.9	15	—	—	—	—	—
白砂糖	100		0.3	0	99.0	1661	32	微量	1.9						
绵白糖	100	2.6	0.6	0	88.9	1497.9	9	7	1.1						
红糖	100	4.4	0.4	0	93.5	1573.2	90	微量	4.0				0.09	0.6	0
麦芽糖	100	12.8	0.2	0.2	82.0	1384.9	—				0	0.10	0.17	2.1	
蜂蜜	100	20.0	0.3		79.5	1334.7	5	16	0.9		0	微量	0.04	0.2	4
黄酱	100	63.0	10.4	3.0	9.3	443.5	67	131	5.5	521		0.03	0.19	1.7	0
干黄酱	100	46.7	14.2	5.2	11.2	619.2	96	188	7.9	829		0.04	0.27	2.6	
甜面酱	100	50.8	7.3	2.1	27.0	656.9	51	127	4.5	192		0.08	0.17	3.4	
豆瓣酱	100	52.8	10.7	9.0	12.9	732.2	99	165	7.9	456		0.06	0.24	1.5	0
芝麻酱	100	0	20.0	52.9	15.0	2577.3	870	530	58.0	140	0.03	0.24	0.20	6.7	0
酱油（一般）	100	66.9	2.0		17.2	322.2	97	31	5.0		0	0.01	0.13	1.5	0
酱油（一级）	100	59.4	3.8		20.4	405.8				636					
酱油（二级）	100	61.2	2.4		20.1	376.6				473					
白酱油	100	64.7	5.8		7.8	225.9									
醋	100	94.8	—		0.9	16.7	65	135	1.1	74		0.03	0.05	0.7	0
味精	100	3.4		0.9	16.9		73	206	1.5	450					
辣椒酱	100	83.8	0.5	0.5	8.3	167.4	36	24	8.1						
辣椒粉	100	12.8	13.4	15.3	25.5	1225.9					15.80				
花椒	100	12.5	25.7	7.1	35.1	1284.5	536	292	4.3	1146					
芥末	100	5.1	26.4	36.3	22.9	2192.4	410	613	20.9		0.63	0.44	0.31	7.3	
五香粉	100	6.3	5.1	11.9	43.8	1271.9	803	214	49.0		0.03	0.02	0.44	1.4	
咖喱粉	100	10.4	9.5	8.0	40.9	1146.4	906	421	136	2199	0.76	0.03	0.40	2.3	

注：符号"—"表示空缺，大多是该项成分未经测定或无可靠数字。

四类病人不宜喝鸡汤：高血脂症——使血胆醇进一步升高；高血压——引起动脉硬化；胃溃疡或肾脏功能较差者喝鸡汤会加重病情。

附录二　食物胆固醇含量

食物胆固醇含量(毫克/100克食部)

食物名称	含量	食物名称	含量	食物名称	含量
五谷类	0	蔬菜类	0	水果类	0
豆制品	0	植物油	0	海参	0
蛋白	0	猪皮(去油)	0	海蜇头	10
牛奶(鲜)	15	酸奶	15	海蜇皮	16
脱脂奶粉	28	羊奶	31	田鸡(青蛙)	40
火腿	45	腊肉(培根)	46	火腿肠	57
牛肉(瘦)	58	兔肉	59	羊肉(瘦)	60
牛奶粉(全脂)	71	小黄鱼	74	酱牛肉	76
带鱼	76	鲳鱼	77	蛇肉	80
猪肉(肥瘦)	80	香肠	82	鸭油	83
鲤鱼	84	酱羊肉	92	猪耳	92
凤尾鱼	93	猪油	93	鸭肉	94
鸽肉	99	鲢鱼	99	甲鱼	101
牛肚	104	鸡肉	106	羊油	107
青鱼	108	猪肉(肥)	109	猪肉松	111
花鲢	112	鸡翅	113	酱驴肉	116
鲜贝	116	羊肚	124	鳜鱼	124
黄鳝	126	鲫鱼	130	牛油	135
泥鳅	136	猪大肠	137	猪小排	146
羊肉(肥)	148	羊大肠	150	猪心	151
猪舌	158	猪肚	165	鸡胗	174
鳗鱼	177	对虾	193	螺(石螺)	198
蚌肉	239	河蟹	267	乌贼	268
猪肺	290	牛肝	297	鸭肝	341
羊肝	349	猪肾	354	蟹黄(鲜)	466
猪肝(卤煮)	469	鸡肝(肉鸡)	676	鹌鹑蛋	515
鸡蛋	585	松花蛋(鸭)	608	鸭蛋(咸)	647
鹅蛋	704	鱿鱼(干)	871	鲳鱼子	1070
鸡蛋黄	1510	鸭蛋黄	1576	鹅蛋黄	1696
羊脑	2004	牛脑	2447	猪脑	2571